DU MÊME AUTEUR

Aux Éditions Gallimard

SOTOS, *roman*, 1993 (Folio, n° 2708).
ASSASSINS, *roman*, 1994 (Folio, n° 2845).
CRIMINELS, *roman*, 1996 (Folio, n° 3135).
SAINTE-BOB, *roman*, 1998 (Folio, n° 3324).
VERS CHEZ LES BLANCS, *roman*, 2000 (Folio, n° 3574).
ÇA, C'EST UN BAISER, *roman*, 2002 (Folio, n° 4027).
FRICTIONS, *roman*, 2003 (Folio n° 4178).
IMPURETÉS, *roman*, 2005 (Folio n° 4400).
MISE EN BOUCHE, *récit*, 2008 (Folio n° 4758).
IMPARDONNABLES, *roman*, 2009 (Folio n° 5075).
INCIDENCES, *roman*, 2010 (Folio n° 5303).
VENGEANCES, *roman*, 2011.
"OH...", *roman*, 2012.

Aux Éditions Futuropolis

MISE EN BOUCHE, avec Jean-Philippe Peyraud, 2008.
LUI, avec Jean-Philippe Peyraud, 2010.

Aux Éditions Bernard Barrault

50 CONTRE 1, *histoires*, 1981.
BLEU COMME L'ENFER, *roman*, 1983.
ZONE ÉROGÈNE, *roman*, 1984.
37°2 LE MATIN, *roman*, 1985.
MAUDIT MANÈGE, *roman*, 1986.
ÉCHINE, *roman*, 1988.
CROCODILES, *histoires*, 1989.
LENT DEHORS, *roman*, 1991 (Folio n° 2437).

Suite des œuvres de Philippe Djian en fin de volume

LOVE SONG

PHILIPPE DJIAN

LOVE SONG

roman

GALLIMARD

J'avais écrit une chanson durant la nuit. Et cette chanson disait : *Mais comment oses-tu...* Entre autres. Ce genre-là. L'automne était chaud, lancinant et humide. L'aube silencieuse, à peine fraîche. Hésitant de bon matin devant une tasse de café noir, brûlant, sous un ciel vide, je me demandais si je n'étais pas trop sombre, quelquefois.

La réponse était mitigée. La question récurrente. Elle planait dans les mortifères couloirs de ma maison de disques. Autour de moi.

Walter, qui était mon ami avant d'être mon agent, m'engageait à prendre la mesure du problème. « Pourquoi ne fais-tu pas un effort, soupirait-il à l'envi. Pourquoi t'obstiner dans cette veine. » Il me donnait régulièrement des nouvelles de nos ventes et les chiffres n'étaient pas bons. Ils baissaient régulièrement. « Il a fallu que cette maudite crise arrive, Walter. Qu'elle nous balaie et nous emporte », répétais-je en faisant de grands gestes, en tournant les talons sans attendre.

Sans doute. Mais la Crise n'était pas l'unique responsable de la baisse de mes ventes — et succomber à la Crise n'aurait rien eu de déshonorant.
« Arrête de te lamenter », me disait-il.
Je l'entends arriver — Norton Commando 961 SE. Je le suis un instant des yeux tandis qu'il remonte l'allée d'un pas brusque, puis je m'installe au piano.
« Ne fais pas cette tête, Walter. Sers-toi un verre, si tu veux. Enfin bref, j'ai écrit une chanson, cette nuit. J'aimerais te la faire écouter. Je ne sais pas encore comment je vais l'appeler. Tu me diras.
— Je vois. D'accord. En tout cas, n'hésite pas à te montrer un peu plus gai, si tu sens que c'est possible. Mais ne te force pas.
— Ça va, Walter. Ne me dis pas ce que je dois faire. »
Je lui chante ma nouvelle chanson. Pour conclure, il opine longuement, profondément, retroussant le nez pour m'indiquer qu'il est épaté. « Mais le texte est d'une dureté abominable, s'empresse-t-il d'ajouter. Sinon j'adore.
— Très bien. Écoute. On frappe à ma porte. Il est deux heures du matin. Je lui ouvre. Elle me tombe dans les bras. Alors qu'elle ne m'a pas adressé la parole depuis des mois. Je sais que je ne suis pas gai, Walter. Mais sommes-nous censés rire du matin au soir, aujourd'hui. Dans ce contexte. Dans le chaos ambiant. La détresse, le fourvoiement, l'horreur économique.
— Ce vieux Milton. Ce vieux Milton Friedman.
— Oui, peu importe. Il y a toujours un dangereux

cinglé dans l'histoire. Quoi qu'il en soit, essaie de te mettre à ma place. Que veux-tu qui m'inspire. Elle était perdue, pour moi.
— Daniel. On ne pourra pas faire un album entier avec des trucs qui donnent envie de se foutre en l'air. Je te le garantis. »
Je baisse la tête. J'avais été très amoureux de cette femme, et je ne savais pas très bien si je l'étais encore — sinon que le feu pouvait repartir à tout instant, de n'importe où. La tenir dans mes bras tandis qu'elle gémissait doucement contre ma poitrine — ses larmes traversant ma chemise, ses ongles plantés dans mes bras — m'avait arraché une sourde grimace quelques heures plus tôt, au beau milieu de la nuit.
« Walter, il y a des exemples, dis-je. Les gens aiment ça, avoir le blues. »
Voyant que je le regarde fixement, il exécute un geste vague. Walter était persuadé que mes talents pouvaient nous conduire en lieu sûr, jusqu'à une retraite paisible et confortable, si je tenais bon encore quelques années et sortais trois ou quatre albums de plus — pas trop noirs, pas trop nostalgiques. Lorsque Rachel m'avait quitté, il avait proposé de me la ramener de force.
« Ils nous ont à l'œil, Daniel, soupire-t-il. Tu le sais. Ils vont nous serrer la ceinture.
— Qu'ils aillent au diable. »
Je sors sur la terrasse. Une femme en robe légère somnole dans une chaise longue.

Il me rejoint. « Ce n'est pas aussi simple, déclare-t-il. Malheureusement.
— Comment ça. Que feraient-ils sans moi. Qui écrit ces trucs soi-disant neurasthéniques sans quoi tous ces types éjecteraient. »
Il me sert un verre. Je suis rentré d'Australie depuis une semaine mais je ressens encore le décalage. De légers étourdissements me prennent. Je décide de m'asseoir.
Je sais que Walter a raison. Et ils savent que je le sais.
« J'ai dit que je voulais des cordes. Dès le début. Je me fous éperdument de ce qu'ils racontent. Je veux des cordes, Walter. Il me les faut. Ça ne se négocie pas, je ne suis pas un marchand de tapis. »
Nous savons comment l'affaire va se terminer. Nous savons qui va devoir en rabattre. Nous pourrons de nouveau vérifier quel genre d'estime ils ont pour nous. Et y aller de nos faibles lamentations.
Walter me regarde fixement. Je finis par tourner la tête. Il pousse alors une sorte de gémissement. Je venais de commettre une lourde erreur, selon lui, en hébergeant Rachel. En ne la mettant pas dehors à la seconde où elle avait séché ses larmes. « Ça ne changera donc jamais..., fait-il sur un ton las. Tu vas te laisser avoir à chaque fois, n'est-ce pas. »
Je n'ai certes rien de très ferme à lui opposer. Il m'a juste semblé que l'affaire était sérieuse, voilà tout, Rachel m'a paru réellement effondrée. Et j'étais encore sous le coup de la surprise, de l'émotion. Je lui ai laissé

la chambre. J'ai dormi au fond du jardin, dans mon studio. Assez mal.
« Elle va chercher à s'installer ici, Daniel. Le piège est grand ouvert. »
Je me penche vers lui pour lui demander qui est la femme endormie dans un transat, sur ma terrasse. Un bandeau dans les cheveux.
« Tu as écouté ce que j'ai dit, me répond-il. Sors-toi de ce pétrin en vitesse. Pense que tu dois enregistrer ton album.
— Mais tu oublies une chose, Walter. Tu oublies qu'elle est encore chez elle.
— Pas après huit mois. Je m'excuse. Elle n'est plus chez elle. Pas après huit mois. Pas après les avoir passés dans les bras d'un autre. »
J'accuse le coup. Mais pour en revenir à cette chanson que j'avais écrite dans la nuit et que Walter jugeait trop cafardeuse ou je ne sais quoi, je ne faisais pas mystère de son origine, je ne prétendais pas l'avoir écrite dans le vide. C'était bien à Rachel que je m'adressais. C'était bien elle que j'aurais jetée au fond d'un puits noir pour m'en débarrasser.
Mais je n'avais pas cette force. Walter en était parfaitement conscient. Comment aurais-je pu mettre Rachel dehors. Dans son état. Désemparée. En pleine nuit.
« En tout cas, ce sera elle ou toi, me prévient-il. Je te l'ai toujours dit. L'un de vous deux finira par avoir la peau de l'autre. Souris. Tu verras. »
Il s'apprête à rentrer chez lui, mais je le retiens par le

bras et lui indique la femme endormie. « Vas-tu me dire qui c'est, à la fin. »
Il hésite. « C'est rien. C'est une amie.
— Une amie. Et qu'est-ce qu'elle fait là.
— Écoute, elle se sentait pas bien. Est-ce qu'elle te gêne.
— Ton amie ne se sentait pas bien et tu l'amènes chez moi. Et tu me demandes si ça me gêne. » Je secoue la tête.

Rachel descend un peu plus tard. J'entends sa canne sur le carrelage. Elle me rejoint dehors. Je l'examine un instant à la lumière du jour, je remarque ses yeux rougis, son teint hâve, ses lèvres pincées. Elle s'assied.
« Je préfère te voir comme ça, lui dis-je. Déterminée. Résolue. Pugnace. »
Elle lève les yeux sur moi. « Daniel. Arrête. S'il te plaît.
— Rachel, qu'est-ce que tu me chantes. Pas toi. »
Du coin de l'œil, j'observe la femme dans son transat. Elle dort. J'ai tiré un parasol sur elle quand le soleil s'est montré. « C'est une amie de Walter, dis-je. C'est une droguée. Walter s'en occupe. »
Rachel fronce les sourcils.
« Elle va rester là, demande-t-elle.
— Walter s'en occupe. »
Elle fait la moue.
« Tu devrais t'assurer qu'elle va bien, dit-elle. Je la trouve très pâle. Tu n'as pas besoin de ce genre de publicité. »

Je vais m'assurer que l'inconnue respire encore. Elle n'est pas froide. Je fais signe à Rachel que tout va bien. En fait, l'une et l'autre m'ont l'air aussi mal en point que possible. Je prends le pouls de l'inconnue. Je ne sais pas très bien comment faire, je crois que je n'ai jamais pris le pouls de qui que ce soit. Cependant, c'est une bonne excuse pour la toucher. Elle semble avoir une soixantaine d'années. Peut-être davantage. Sa peau est molle mais elle a conservé une apparence de jeune femme.

« Tu fais quoi », m'interroge Rachel. Je me caresse le menton et reviens vers elle. Je sors mes lunettes de soleil. « C'est une journée étrange, déclaré-je en m'asseyant près d'elle. Tout d'abord toi, qui débarques au milieu de la nuit, et maintenant cette femme. Beaucoup d'animation, tout à coup. Presque trop, pour moi.

— C'est pour me mettre à l'aise que tu dis ça.

— Non, pas du tout. »

Ses yeux s'embuent de nouveau. Je ne me souvenais pas qu'elle eût autant pleuré sur notre séparation. Je pose une main sur la sienne. J'insiste : « Pas du tout du tout. »

Je n'avais pas eu de ses nouvelles depuis l'hiver dernier. J'étais très heureux de la revoir et en même temps j'éprouvais une sourde appréhension — ce qui était toujours le cas avec les femmes que j'avais connues.

« Dis-moi ce que tu penses, Daniel, se reprend-elle.

— À quel sujet. »

Elle me fixe et reste muette durant un instant. « Donne-moi ta réponse », finit-elle par lâcher d'une voix blanche.

Le soleil me frappe en pleine figure. Une seconde, je me sens pris de vertige, je suis au bord de l'évanouissement. Ma chanson la plus célèbre relate un cas de combustion spontanée.

« Rachel, tu peux rester aussi longtemps que tu le souhaites », déglutis-je, la gorge soudain sèche, nouée — le refrain dit : *Viendra ton tour / comme est venue ma peine / J'attends ce jour / comme le désert attend la pluie /* ce qui balaie amplement les stupidités qu'on entend sur la nécessité de limiter le poids de la vie en période de crise, de ne pas appuyer où ça fait mal, d'être un peu optimiste, de veiller à la bonne humeur du citoyen et à la tranquillité du peuple.

Un léger voile de transpiration m'a couvert le front. Moi qui ne transpire jamais, moi qui termine mes concerts avec la même chemise, à peine auréolée sous les bras. Je venais de prendre conscience que j'avais prononcé là des mots terribles, qu'ils m'engageaient, que je pouvais m'en mordre les doigts, j'empruntais une voie qui m'attirait vers le centre d'un vortex qui montait en régime et produisait au loin un vacarme infernal, un nuage de vapeur opaque.

J'insiste, pourtant. « Prends le temps qu'il te faudra. Rachel. Ne t'inquiète pas pour ça. Il ne te méritait pas. Jamais. Et il n'était pas si bon que ça. J'en ai connu de

meilleurs. De bien meilleurs. Avec lesquels c'était un privilège de jouer.
— Tu ne peux pas dire ça. Ne sois pas injuste.
— Il m'a accompagné en tournée. Je sais de quoi je parle. Il jouait bien mais il n'avait pas d'âme.»
Elle me considère avec étonnement durant une seconde puis hausse les épaules.
Elle soulève ses jambes en mauvais état et les étend au soleil — elle n'hésitait jamais à les exposer, du moins en ma présence, à exhiber leurs profondes cicatrices, leurs os mal ressoudés qu'il avait parfois fallu recasser, leur laideur — puis elle ferme les yeux.
J'envoie ma dernière composition à la maison de disques et quelques heures plus tard, je les ai tous au téléphone. Ils se bousculent pour me féliciter — je ne leur en demande pas davantage, pas d'analyse trop poussée. Georges lui-même a décroché son téléphone, et Georges n'est pas du genre à distribuer ses compliments à la légère. «Tu fais honneur à toute la maison, me dit-il. Ton dernier morceau est bouleversant. Bravo, mon vieux. En dehors de Leonard Cohen, je ne vois pas qui peut te faire de l'ombre.
— Leonard Cohen c'est Leonard Cohen, rétorquai-je. Il ne fait pas de l'ombre. Il illumine.»
Tout en lui parlant, je regardais le soir tomber, la brume descendre des hauteurs, chevaucher la cime des arbres au feuillage étincelant, j'étais sur la terrasse, un verre à la main, le téléphone dans l'autre, le front moite, et je me laissais complimenter sans vergogne,

cajoler pour une méchanceté que j'avais écrite en pensant à Rachel. Cette situation me gênait un peu mais ça restait une belle chanson. Chacun en convenait. J'étais soulagé. Je respirais. Je m'aperçus néanmoins que cette sensation de soulagement était nouvelle. Je n'avais jamais éprouvé le besoin jusque-là d'être rassuré sur mon travail. Non, c'était la première fois.

Rachel me surprit en pleine réflexion.

« Il paraît que tu as écrit une nouvelle chanson, Daniel. »

Je demeurai paralysé une seconde. Puis j'acquiesçai.

« C'est mon métier, Rachel, d'écrire des chansons.

— Eh bien, je serais heureuse de l'écouter. Et ça parle de quoi.

— Ça ne parle de rien. C'est une chanson.

— Ne te fiche pas de moi, Daniel. Je sais qu'elle s'adresse à moi.

— C'est une chanson, Rachel. Arrête. Ne prends pas tout pour toi. Ne cherche pas à toujours tout compliquer.

— Ne te fiche pas de moi. En tout cas, j'aimerais l'écouter. »

Je la fixai un instant puis je me levai et m'installai au piano.

J'ai honte de jouer aussi mal. Je ne progresse pas, je ne parviens pas à me discipliner, à prendre un minimum de leçons, je ne me décide pas, si bien que je suis d'un niveau juste passable.

Je m'exécutai, quoi qu'il en soit. Le soir tombait. L'air

était humide et lourd. Rachel était là depuis à peine trois jours, elle occupait ma chambre et, apparemment, elle n'était pas remise de sa rupture avec son musicien, elle semblait flotter, se coiffait d'un élastique, marchait pieds nus, il fallait insister pour qu'elle mange, pour qu'elle se lève. Walter s'était contenté du service minimum. « Viens donc lui tenir compagnie, lui avais-je suggéré. Viens donc t'occuper un peu de ta sœur. Tu n'es pas obligé de lui parler. » Sur ce dernier point, il m'avait entendu.

À la fin du morceau, j'attendis quelques secondes avant de me tourner vers elle. Quand je donnais un concert, j'appréciais par-dessus tout ces instants suspendus à la fin des morceaux, juste avant les applaudissements, ce pur éclat de silence, ce pur frisson glacé que je goûtais les paupières closes. Je n'étais pas certain d'avoir donné une interprétation particulièrement réussie de *Comment oses-tu ?* mais lorsque je pivotai sur mon siège, elle s'essuyait les yeux.

Je tendis la main vers elle, mais elle me repoussa brutalement de sa canne.

« En tout cas, je sais ce qu'il me reste à faire, fit-elle d'un ton lugubre. Je vais partir. Puisque c'est ça. Puisque c'est comme ça que tu le prends. »

J'avais dormi sur le canapé de mon studio et je m'étais mis à travailler dès l'aube. J'étais fatigué. Je ne savais pas s'il allait rester quelque chose de tous les efforts de la journée et je ne souhaitais pas me sentir encore plus abattu que je ne l'étais pour cause de tension avec

Rachel. « Je ne le prends pas du tout comme tu penses, Rachel. Ce n'est qu'une chanson. Ce n'est pas un message que je t'adresse. Combien de fois devrai-je te le répéter. Il y a de quoi devenir fou. C'est carrément grotesque.
— Comment. Qu'est-ce que tu dis. Génial. De mieux en mieux. »
Je voyais qu'elle commençait à s'agiter devant moi alors que j'avais l'esprit occupé par un problème technique — un transfert de piste capricieux qui m'avait accaparé durant tout l'après-midi.
« Quoi encore », demandai-je.
Ses yeux se sont écarquillés.
Je retrouvai aussitôt mes esprits. J'allumai une cigarette. « Bon, reprenons. Très bien. Le fait est que je suis resté sans nouvelles de toi depuis des mois. Je crois que c'est ça qui m'a inspiré. J'ai trouvé ça vraiment culotté. Que tu débarques au milieu de la nuit pour venir pleurer sur mon épaule. Après m'avoir plaqué sans un mot.
— Tu étais devenu trop collant, je te l'ai dit. Nous n'allons pas revenir là-dessus. »
Elle est en peignoir de bain. Une légère odeur de vase tiédie s'est répandue dans l'air moite. Elle n'a vraiment pas besoin de faire ce qu'elle fait mais elle prend pourtant ses jambes à pleines mains et les installe devant elle, sur un pouf, de façon que je ne perde rien du spectacle de leurs meurtrissures. J'y jette un bref coup d'œil — l'estomac toujours noué, incapable de m'y habituer. Quelques centaines de mètres plus bas, le lac

commence à flamboyer. Un bateau à aube accoste. Des adolescents se sont jetés à l'eau et s'amusent.
Je vais me servir un verre.

La troisième nuit qu'elle passe dans notre ancienne chambre, après huit mois d'absence, de vie commune avec son amant — sans avoir tenté d'y mettre la moindre forme pour m'épargner —, donne lieu à une vive discussion à travers la porte de la chambre. Il ne me semble pas que j'aie à me justifier pour les diverses choses qu'elle découvre dans le tiroir de ma table de nuit. « Où étais-tu fourrée depuis tout ce temps, glapis-je du couloir. Est-ce que tu te moques de moi. Vivais-tu encore dans cette maison. Y avait-il encore des règles. Un type a couché avec toi chaque jour que Dieu a fait depuis Noël dernier et c'est de mes errements qu'on parle, *des miens*… Tu es sérieuse. Ha ha. Ha ha ha. »
Lorsqu'elle se décide enfin à m'ouvrir, je m'empare au passage d'une corbeille et fonce vers la table de nuit pour y récupérer mes effets personnels. Sous son regard attentif et méprisant. « Tu connais celui-là, fais-je en lui indiquant un gel rose, prétendument à la fraise. Je te le conseille. »
Elle me considère d'un œil torve.
Mais je résiste. Je ne la laisse pas intervertir les rôles. Lequel avait quitté l'autre. Lequel des deux avait plaqué l'autre sans un mot d'explication.
« Je m'emmerdais avec toi. La voilà ton explication,

me dit-elle. Je t'ai quitté parce que j'en avais assez. Les tournées, ça va bien une fois. »
Je lève les yeux sur elle, je la fixe : « Et c'était mieux avec lui.
— C'était bien mieux avec lui. Aucune comparaison. »
Je médite sa réponse. Puis je fais aussitôt demi-tour et me dirige vers mon studio d'enregistrement où j'ai pour le moment élu domicile, ne sachant trop comment les choses vont tourner avec elle. J'entre et je ferme la porte. J'hésite à prendre une drogue quelconque, n'importe quoi.

Walter semble à présent marcher la tête rentrée dans les épaules — du moins quand il la croise. Ils ne se parlent pas, se regardent à peine. Je me tiens prêt à intervenir pour les séparer, le cas échéant, mais ils conservent leur calme.
« Ça va, me demande-t-il. Ça va, elle te laisse travailler, j'espère.
— Je n'en sais rien. C'est difficile à dire. J'aimerais mieux être seul, bien sûr. J'ai encore deux ou trois morceaux à terminer et j'ai besoin de me concentrer. Je regrette qu'il ne l'ait pas gardée un peu plus longtemps. Nous n'étions plus à quelques mois près, non.
— Comme si tu ne la connaissais pas, soupire-t-il. Prie pour que je me trompe, Daniel. Mais je t'aurai prévenu.
— Je ne vais pas me battre avec elle. Je vais faire comme si tout ça était arrivé à d'autres personnes. Comme si nous n'étions pas concernés.

— Je lui rappellerais bien dans quel état elle t'a laissé. Sa brutalité, sa cruauté envers toi. »
Je grimaçai un peu en y pensant — en un rien de temps, j'avais failli devenir alcoolique, j'avais donné les pires concerts de ma vie, j'avais failli tout perdre avant de me reprendre en main. J'avais accusé le coup, sans aucun doute. Il faisait encore une chaleur épouvantable malgré la tombée du soir. Nous bûmes quelques verres — un whiskey irlandais parfumé aux herbes et au miel — en écoutant les prises de la journée. La lune éclairait le jardin.
Je vis Rachel sortir de la maison et traverser la pelouse dans ma direction.
« Tiens, voilà ta sœur », dis-je.
Walter fila sur-le-champ, sans même avoir soin de refermer ma porte.
« Mais qu'est-ce qui lui prend, me demanda-t-elle en entrant, le suivant des yeux tandis qu'il disparaissait dans la maison. Ça ne s'arrange pas, on dirait. Il va falloir en parler à un psy. »
J'acquiesçai en me tordant la bouche car elle était en train de se promener dans mon studio, humant l'air, fouillant du regard, inventoriant, photographiant mentalement la pièce, le mobilier, les détails, les feuillets qui traînent sur mon bureau, les partitions, les portées, le canapé transformé en lit, le piano, mes deux valises de vêtements.
Devant lesquelles elle tombe en arrêt. Elle se tourne vers moi, fermement appuyée sur sa canne, la bouche

grande ouverte — mais pendant un instant il n'en sort aucun son. Puis elle porte une main à sa gorge.

« Oh Daniel... C'est... C'est à cause de moi, bredouille-t-elle.

— Ne t'inquiète pas, Rachel, ça ne me dérange pas. J'ai tout ce qu'il me faut. Je suis très bien ici. Je peux faire du bruit, regarder un film, aller et venir sans déranger personne. Allumer la lumière.

— Voyons, Daniel, c'est ridicule.

— Pas du tout. Au contraire. Tout va très bien. Je suis en plein travail, tu sais. Il vaut mieux que je m'installe ici. Ça ne me prive pas du tout. Je suis heureux de pouvoir te dépanner. »

Elle secoue la tête. « C'est gentil à toi, finit-elle par déclarer. Je sais que tu n'es pas con. Ça n'a rien à voir. »

Je l'arrête. « Rachel. Je t'en prie. Ne parlons pas de ça. Je ne veux pas en parler. Tu m'entends. Je ne veux pas en parler. Arrête. Je prépare un album, tu sais. Je dois me mettre dans un certain état d'esprit.

— Oui, je sais. Je connais. Je sais de quoi tu parles. De ce fameux état d'esprit.

— Je t'en prie. Ne commençons pas. Faisons plutôt la paix. La maison est à ta disposition. Tu es la bienvenue, Rachel. Prends ton temps. Réfléchis à ce que tu dois faire. »

Je ne savais pas si elle en était capable — quand je voyais qu'elle m'avait préféré un de mes musiciens, et pas le meilleur d'entre eux, j'en doutais. Pourquoi pas mon chauffeur. « Tu sais, repris-je aussitôt, je suis sidéré qu'il t'ait plaquée de cette manière. Tu vois comme ça fait mal. Je ne te souhaite pas d'en baver autant que j'en ai bavé, mais c'est bien que tu comprennes, c'est bien que ça ne reste pas trop abstrait pour toi. Tu vois comme ça fait mal. »

Elle hausse brièvement les épaules et termine son inspection des lieux d'un rapide coup d'œil — j'imagine qu'elle aimerait ouvrir quelques tiroirs, quelques penderies pour en savoir davantage sur la vie de célibataire que j'avais menée depuis son départ, mais je n'avais laissé aucune femme s'installer chez moi, je n'avais permis à aucune d'entre elles de s'occuper de la décoration, de changer quoi que ce soit. Aucune trace de leur passage. Ou si peu.

« Allons, dis-moi ce que tu as sur le cœur, me déclare-t-elle. Dis-le-moi. Tu en fais, une tête.

— Ah, mais j'ai tellement de travail, tu sais. Ne t'attends pas à me trouver des couleurs. Je dors quatre heures par nuit, cinq, maximum. »

Je l'emmène dîner en ville. « Parle-moi plutôt de toi, lui dis-je. Que s'est-il passé au juste.

— Tu veux savoir. Je vais te le dire. Il ne s'est rien passé du tout. Il a déclaré qu'il en avait assez, qu'il ne voulait plus rien de moi. Fin de l'histoire. »

Je tends la main pour lui toucher l'épaule. Je prends un air compatissant.

« Je sais ce que tu penses, dit-elle. Alors ne le dis pas. N'en parlons plus. »

Ses blessures l'empêchent de s'asseoir correctement.

Elle se tient de côté. Et comme elle s'habille très court, personne ne peut éviter le spectacle des longues estafilades qui courent sur ses jambes.
« Je ne méritais pas ça, tu sais, me confie-t-elle. J'avais tout abandonné pour lui. »
Je ne réponds rien. Je suis au courant. Je consulte la carte des vins.
L'homme qui vient d'entrer et qui baisse les yeux sur les cuisses de Rachel est suivi d'une femme que je connais. Walter l'avait abandonnée sur ma terrasse, l'autre jour, cette vieille droguée encore bien fichue et cette fois beaucoup plus mobile, beaucoup plus alerte. Durant un court instant, avant de rejoindre sa table, elle croise mon regard, mais j'ai la nette impression qu'elle ne me reconnaît pas. Rachel éprouve la même chose à son tour.
« Pas très physionomiste, ton amie, me souffle-t-elle.
— Ce n'est pas mon amie, Rachel. »
C'était notre premier dîner en ville depuis son retour. Demain, dans la presse, on lirait que notre couple s'était reformé, qu'on nous avait vus dîner ensemble, en amoureux, échanger de tendres mots à voix basse, mais elle s'en fiche.
« Et toi, demanda-t-elle.
— Ça me laisse indifférent. Je ne lis plus ces journaux. Je ne peux plus rien pour mon image, tu sais... C'est un poids en moins, remarque. Mais on a raconté tellement d'histoires sur mon compte que ça ne me fait plus rien.

— Mais toutes ces histoires n'étaient pas fausses, Daniel.

— Eh bien, la plus grande partie, en tout cas. Ils ont prétendu que j'avais une liaison avec Céline Dion, souviens-toi. Tout leur est bon. Je ne les lis plus. »

Le repas se déroula agréablement. Je sentis, à un certain moment, qu'elle se relâchait et cela me fit du bien, je me détendis à mon tour. Je commandai une bouteille de Billecart-Salmon. « En quel honneur », demanda-t-elle. « En l'honneur de rien de particulier, répondis-je. En l'honneur de cette chaude nuit de fin d'été. » Nous mangeâmes des fruits de mer. Nous nous installâmes au calme, dans un large patio agrémenté d'une fontaine. Je ne pouvais m'empêcher de la désirer. C'était réellement infernal. Je finissais toujours par succomber, je n'avais qu'à poser les yeux sur elle et la fixer un moment pour me faire emporter. J'étais son prisonnier à vie. C'était déjà comme ça avant l'accident, j'avalais tout, je lui pardonnais tout, je récoltais ce que j'avais semé — au centuple. Je passais le plus clair de mon temps dans les studios ou sur la route et lorsque je rentrais et la serrais dans mes bras, je pouvais parfaitement sentir si elle avait appartenu à un autre homme durant mon absence, et c'était souvent le cas. Mais je n'en parlais pas. Je ne voulais pas souffrir davantage encore en me fâchant avec elle, en m'interdisant du même coup l'accès à sa chambre. Je la désirais trop. De là provenait ma faiblesse, à l'évidence. De là provenait ma lâcheté, de cette peur de la perdre. Et résultat, elle m'avait quitté pour de bon, elle m'avait quitté durant huit longs mois, elle avait vécu avec un autre homme durant huit longs mois, sans s'inquiéter de savoir si j'étais vivant ou mort — était-ce censé me faire plaisir. Non.

« Tu n'espères pas coucher de nouveau avec moi », m'interrogea-t-elle.

Je levai les yeux au ciel.

« Non, bien sûr. En voilà une idée. Et tant qu'il me restera un gramme de bon sens… »

Baissant les yeux sur ses cuisses nues, ses chairs meurtries, boursouflées, j'avalai ma salive, je me tus.

Je la désirais toujours autant, je n'y pouvais rien. Je pouvais juste tenter de le cacher, de le nier de toutes mes forces, en appeler à ma dignité, à mon sens de l'amour-propre, mais je ne pouvais jurer de rien. Je ne savais pas si elle se rendait compte de l'extrême attraction qu'elle exerçait sur moi. J'avais longtemps cru que l'amour en était responsable, et aujourd'hui il n'y avait plus guère d'amour, mais je la désirais toujours autant.

« Ne complique pas les choses, dit-elle. Ce n'est vraiment pas le moment. »

Je la regardai en allumant une cigarette. À travers la flamme de mon briquet.

Walter me dit que la vieille femme couche pour trois cents euros. Se droguer coûte cher.

« Sans doute un peu cher pour ce qu'il lui reste à offrir, non.

— C'est ce que je me suis dit la première fois, bien entendu. Mais fais-moi confiance. Elle t'adore, par-dessus le marché.
— Tu veux dire qu'elle me ferait un prix.
— Je n'ai pas dit ça. J'ai dit que le moment était venu de réagir. Inutile d'attendre. Elle s'appelle Amanda et voilà son numéro de téléphone. »
Je le rangeai aussitôt dans le tiroir de mon bureau qui fermait à clé.
De la maison, Rachel nous adressa un signe de la main que Walter choisit d'ignorer.
« J'aimerais que tu fasses un effort, lui dis-je en souriant à Rachel. Elle est là. On ne peut rien y faire. Tu es censé régler les problèmes. Tu es censé m'en décharger. Alors fais ton travail. Ne rends pas l'air irrespirable. »
Il trouva que je n'avais aucune dignité. Qu'elle aurait eu tort de ne pas profiter de moi. De ma persistance à capituler devant elle.
J'insistai. Je lui envoyai un discret coup de coude. « Fais-lui un signe, soufflai-je entre mes dents. Prends sur toi. » Son visage se décomposa littéralement tandis que Rachel semblait attendre derrière la baie de la maison. Je le vis passer du rose au blanc crayeux à mesure qu'il serrait les dents. Ses mâchoires tremblaient.
Pour finir, il leva les yeux sur moi. Des yeux noirs. « Je ne peux pas, grogna-t-il. Ne me demande pas ça. » D'une bouche grimaçante.

Je le considérai durant un instant. « Tu es ridicule, déclarai-je pour finir. Tu es une sorte d'enfant. »
J'allai m'asseoir du côté des instruments. Walter demeura immobile, le front baissé, comme abandonné dans le froid, sous la pluie. J'attrapai la Strato et envoyai quelques grappes de notes.
« Je ne te demande rien d'impossible, Walter. Je ne suis pas complètement idiot. Mais juste de relâcher la tension de quelques crans, de nous rendre la vie plus facile. Elle est là, maintenant, il faut faire avec. C'est ta sœur. On ne peut pas l'éliminer d'un simple geste.
— Bien sûr qu'on peut. Commence par la flanquer dehors. Elle est la honte de la famille. »
J'enchaînai quelques accords, lançai quelques riffs. Puis j'entendis ronfler le moteur de la Norton.

En me réveillant, ce matin, je suis allé courir très tôt dans les bois pour profiter de la fraîcheur. Il y avait encore de la brume et de cette brume, tout à coup, a surgi un jeune chevreuil — ce genre de rencontre n'est pas si rare par ici, on croise également des renards, des biches, nous habitons au même endroit, nous foulons le même sol, des poissons sautent à la surface du lac, des rapaces tournoient dans le ciel. Je me suis arrêté net. Je me suis changé en statue — en dehors de ma poitrine que soulevait ma respiration et du battement de mes paupières. L'animal avait la beauté et l'intrépidité de la jeunesse — il semblait me défier, la tête haute, l'œil brillant. Il était splendide.

Je me suis avancé d'un pas sans le quitter des yeux, en prenant d'infinies précautions. Puis j'ai fait un autre pas et il n'a pas bronché. On entendait un coucou dans le lointain, le gloussement d'un ruisseau proche qui descendait vers le lac. Lorsque je ne fus plus qu'à un mètre de lui, il fit un bond de côté et me décocha une ruade qui m'envoya rouler sur le sol.
J'en restai sonné mais je n'avais rien de cassé. Je demeurai assis une minute avant de me relever et une fois debout, je regardai autour de moi en m'époussetant, et bien que la brume s'estompât, bien que j'eusse fouillé lentement les alentours en clignant des yeux, je ne trouvai aucune trace du chevreuil — plus l'ombre d'un poil, or l'air vibrait encore de sa présence, je sentais encore son odeur.
À mon retour, comme je me dirigeais vers mon studio pour me préparer un café, Rachel m'annonça qu'elle avait fait des crêpes. Je bifurquai aussitôt vers la maison car les crêpes de Rachel faisaient partie des bonnes raisons pour lesquelles je l'avais épousée, une vingtaine d'années plus tôt — crêpes qu'elle ne confectionnait plus aujourd'hui qu'en de rares occasions, du moins en ce qui me concernait.
Elle avait préparé des œufs, pressé des oranges, toasté du pain de mie qu'elle gardait au chaud dans une serviette. Il y avait du beurre, de la confiture de framboises, du café chaud, du sirop d'érable.
« Figure-toi qu'une espèce de jeune cerf m'a flanqué par terre, fis-je en m'asseyant.

— Il t'a foncé dessus.
— Non, il ne m'a pas foncé dessus. J'étais sur le point de lui toucher le museau. »
Elle me regarda en souriant. Puis elle se pencha sur la table et dévoila une pile de crêpes qui me mit aussitôt l'eau à la bouche.
« Tu veux quoi, au juste, fis-je en lui tendant mon assiette.
— N'aie pas peur. Je ne veux rien. Si nous pouvions vivre en bonne intelligence, toi et moi, ce serait bien. Nous n'avons pas intérêt à nous chamailler tous les jours.
— Je crois que ma stratégie est la bonne. Toi ici et moi dans le studio. Nous devons nous imposer ce genre de règle. Chacun doit avoir son territoire.
— D'accord. Mais tu n'étais pas obligé. »
Je ne savais pas si elle le pensait, si elle pensait ce qu'elle disait. Si elle pensait que je pouvais agir autrement envers elle, si elle pensait que j'avais le choix. Comment voyait-elle les choses, au plus profond d'elle-même. Comment être sûr que nous jouions la même partie d'un même jeu.
Quoi qu'il en soit, il y avait ce nouvel album sur lequel je devais travailler et toute promesse de tranquillité, de temps calme, était la bienvenue. Il fallait un maximum de concentration. Je devais pouvoir travailler au milieu de la nuit si le besoin s'en faisait sentir, m'installer au piano et en jouer jusqu'à l'aube si l'envie m'en prenait. Lorsque nous vivions ensemble, Rachel et moi avions

pas mal souffert de ces périodes d'activité cérébrale intense — qui nous entraînaient au fur et à mesure, par une sombre addition, vers le précipice qui nous attendait.
Chaque fois que je terminais un album, nous étions sur le point de nous séparer, nous nous détestions farouchement et étions capables de nous déchirer au beau milieu d'une soirée, sans vergogne, aux yeux de tous et jusque sur le trottoir, comme deux hyènes. Je savais à quel point les choses pouvaient dégénérer. Je l'avais vu de mes yeux, entendu de mes oreilles. Je comprenais l'appréhension de Walter. L'effroi que lui causaient certains souvenirs des heures sombres.
Mais il me semblait que cette fois j'avais pris les mesures nécessaires en m'expatriant dans le studio et en lui faisant comprendre qu'elle n'était plus pour moi que la femme d'un autre homme, en tout cas pas la mienne, et qu'elle ne pouvait plus m'avoir aux sentiments. Elle ne pouvait plus me démolir. Elle me tenait enchaîné mais ne pouvait plus me forcer à rien.
« T'es sûr de toi. T'es bien sûr de toi, avait gémi Walter quelques jours plus tôt comme je cherchais à le rassurer.
— La tournée m'a fait du bien. Le plus dur est passé, Walter. Je vais bien. Et cette petite quinzaine en Australie pour finir, hum..., je suis en pleine forme. Ah, les douces puanteurs de Sydney. Ne t'inquiète pas. Je ne vais pas te dire que je n'éprouve plus de désir pour elle. Mais ça ne va pas plus loin. Elle a cassé quelque

chose. Je n'en étais pas sûr, au début, maintenant je le suis. »
Il était resté un instant silencieux, à tourner son verre entre ses mains. « Elle t'a fait assez de mal, me déclara-t-il. Elle a beau être ma sœur, Daniel. Je trouve qu'elle t'en a fait assez. »
Je l'avais empoigné par le col. « Regarde ses jambes, imbécile. Regarde-les. »
Il n'y avait rien à ajouter, de mon point de vue. Aucune autre considération n'était nécessaire. Il avait fini par hausser les épaules.
Quoi qu'il en soit, les crêpes de Rachel sont toujours formidables.
« Tu n'as pas perdu la main, lui dis-je. C'est toujours ça d'épargné. »
Elle me fixe en prenant un drôle d'air. « Tu n'es plus le même, finit-elle par m'annoncer. Je sais que ça n'a pas été drôle pour toi.
— En effet. Drôle n'est pas le mot. Mais ça va, maintenant. Tu ne serais pas là, sinon. »
Je trempe mon petit doigt dans du sirop d'érable. « Tu comprends, dit-elle, je n'ai pas envie d'en parler, je veux que nous soyons d'accord.
— Eh bien, ce n'est pas moi qui vais te demander de le faire, c'est sûr. »
Elle secoue la tête et regarde dehors.
« Très bien. Essayons de tenir. Mais Daniel, ta dernière chanson est terrible. Comment peux-tu être si négatif.
— Ça n'arrive pas en claquant des doigts, je te

l'accorde, la maturation est lente. Je crois qu'il faut être doué pour ça.
— Je t'ai inspiré des choses plus gaies, autrefois. »
Je souris. Nous étions fin septembre, il était neuf heures du matin. Dans un élan d'affection incongru et réciproque, nous nous touchâmes la main. J'avais signé de nombreux traités de paix avec Rachel et celui-ci, malgré son air presque solennel, ne valait pas mieux que les autres.
Après l'accident, lorsqu'il s'était agi de s'occuper de ses blessures, de veiller à leur bonne cicatrisation, je n'avais laissé ce soin à personne d'autre. J'y avais veillé personnellement, j'avais touché ses blessures, j'avais enduit sa peau de crèmes grasses, de pommades au resveratrol, chaque jour, durant des mois, je m'étais inquiété de la moindre rougeur, j'avais examiné ses cuisses et ses mollets à loupe, je les avais lavés et poudrés — effleurés des lèvres lorsqu'elle regardait ailleurs —, jusqu'au matin où elle avait filé avec son musicien et je me demandais s'il s'en était à son tour occupé au cours de ces huit mois où il me l'avait prise. J'aurais bien aimé voir où en étaient les choses, l'état de ses cicatrices.
Par simple curiosité. Parce que pour le reste, c'en était fini pour moi. Pour le reste, je ne voulais plus en entendre parler. Je préférais encore me piquer à l'héroïne. Me piquer dans la gorge.
Je sens presque des larmes me monter aux yeux.

Lorsque je la quittai, après le sérieux petit déjeuner qu'elle m'avait offert, j'avais pour mission de lui libérer un placard de la chambre — ce qui ne manquerait pas d'encombrer le studio où je n'avais déjà pas trop de place, mais passons.
Je descendis chercher des cartons à la cave. J'empilai le reste de mes chemises, mes chaussures, mes pantalons. Ce n'était qu'un petit sacrifice, je n'allais pas discuter pour si peu de choses. Il faisait très chaud. Je traversais une douzaine de fois le jardin avec mes cartons, sous un soleil de plomb — en général, il y a toujours du monde dans cette maison, mais cette fois, il n'y avait personne pour me donner un coup de main, et Isa, la femme de ménage, avait un tour de reins.
Ensuite j'allai en ville et, baissant la tête pour décourager ceux qui pensaient me reconnaître, j'achetai un portant à roulettes, une housse et des tiroirs de plastique translucide empilables, et tout ça m'occupa une bonne partie de la journée, mais je savais qu'il était indispensable de bien démarrer, de marquer des points pendant qu'il était temps, de partir sur de bonnes bases avec Rachel.
Sans doute était-il dangereux de l'avoir à proximité — à moins d'un jet de pierre — et la plus élémentaire sagesse commandait de la tenir aussi éloignée que possible, mais je m'estimais de taille à supporter l'épreuve. Ça ne me gênait pas de garder un œil sur elle.
M'installer dans le studio se révélait être une idée de génie. J'avais l'impression de reprendre ma vie d'étu-

diant. Et surtout, j'avais l'impression de m'y trouver en sécurité. Mon studio était un vrai studio d'enregistrement, la porte en était épaisse comme celle d'un scaphandre et lorsqu'elle était fermée, plus aucun son ne provenait de l'extérieur, on était absolument coupé du reste. J'avais fait venir des spécialistes. Et à l'époque, dans ce monde merveilleux où l'on vendait encore beaucoup de musique, où beaucoup d'argent circulait, où subsistait encore quelque faste, j'avais obtenu que la facture soit envoyée à la maison de disques — Georges avait failli s'étrangler mais il avait cédé assez vite. J'avais eu le sentiment d'avoir réalisé une bonne opération. J'étais alors d'une naïveté crasse — il suffisait que Georges me prenne par l'épaule pour que je sorte de son bureau rassuré, tout à fait détendu.

Elle m'appela sur mon portable pour que je l'aide à monter sa valise.

Une valise énorme. J'arrivai à l'étage le cœur battant, le front moite. Elle m'attendait déjà, elle était assise sur le lit, la tête baissée, quand j'entrai. Ça me causa un choc. Elle était là depuis quelques jours mais je ne m'y étais pas encore habitué — cette chambre avait été la nôtre durant des années. Je ne m'attardai pas plus que nécessaire. Je déposai sa valise et fis demi-tour. Elle me rejoignit dans le salon.

« Tu en fais une tête, lui dis-je. Tu as pleuré. Ne dis pas non, je vois bien que tu as pleuré. »

Elle se détourna. Elle dit : « Qu'est-ce que tu crois. » Je m'approchai, je posai les mains sur ses épaules. Elle pivota. Sa bouche se tordit quand elle répéta : « Hein, qu'est-ce que tu crois. Tu crois que je ne tenais pas à lui. Tu crois que ça ne me fait rien qu'il m'ait plaquée comme la dernière des connes. » Ses yeux redevinrent de vraies fontaines silencieuses. Je restai debout devant elle, sans bouger. Totalement incrédule.

Je laissai retomber mes mains. Je lui déclarai que j'étais désolé pour elle. Je ne pouvais pas faire davantage. J'étais pour le moins dépité que ce type eût le pouvoir de la mettre dans cet état. J'étais sidéré. Un tel manque de discernement de la part de Rachel. Je ramenai une boîte de mouchoirs de la salle de bains. Je ravalai quelques sarcasmes qui me vinrent naturellement à la bouche.

« Écoute, lui dis-je, peut-être que ça va s'arranger. »

Elle semblait dans tous ses états. « Et toi, tu m'en veux à mort, n'est-ce pas », gémit-elle en tâchant de contenir ses larmes de ses mains nues. Je ne répondis pas. Elle s'approcha et pleura un instant contre mon sein droit. De vrais sanglots. Étrange de consoler sa propre femme parce que celle-ci vient d'être abandonnée par son amant, de lui caresser la tête en lui promettant que les choses vont s'arranger. Que c'est dix de retrouvés. Mais peut-être cette femme avait-elle fini par me rendre fou, d'une certaine manière. Ce n'était pas impossible.

Au bout de quelques jours, je me demandai si elle n'était pas en train de faire une vraie dépression. Bien que je fusse en plein travail, je sortais régulièrement du studio et je faisais un tour dans la maison pour

m'assurer que tout allait bien. Elle ne se coiffait plus, ne se maquillait plus, se décharnait presque. Je lui proposai de prendre de la vitamine C à haute dose, mais elle rechigna. « Il serait temps pourtant que tu te réveilles, lui dis-je. Ce n'est plus de ton âge. Oublie ce type. Tu as un cerveau. Sers-t'en. »
Elle me répondit qu'elle était enceinte.
Je m'assis. Je gémis. Je me mordis les lèvres. Je posai mes mains sur ma tête. « Je ne te crois pas. Ne me fais pas ça, Rachel. Pour l'amour du ciel. Je ne te crois pas. »
Je la regardai, puis me levai, grimpai sur un tabouret pour attraper le gin dans le placard du haut — je m'interdisais plus ou moins les alcools forts depuis que j'avais fait un coma éthylique à cause d'elle quelques mois plus tôt — et je m'en servis un large verre.
Ensuite j'ouvris les fenêtres, mais il n'y avait pas d'air. « Cesse de t'agiter. Je préfère que tu restes assis », dit-elle. Je suivis des yeux une barque blanche qui traversait le lac dans un scintillement, et c'était la seule embarcation en vue.

Amanda me donna rendez-vous dans un petit hôtel de luxe et ce qu'elle faisait pour trois cents euros était bien. Elle était un peu fripée, mais encore assez belle et je sortis ravi de cette rencontre. Formidablement léger. Au point que je promis de reprendre contact dans un avenir très proche. Sur le coup, elle ne m'avait pas reconnu. Nous étions montés en silence et c'est seulement lorsque nous avions commencé à nous remuer

l'un contre l'autre que ma tête lui était revenue. « C'est un honneur de baiser avec une célébrité », avait-elle plaisanté en empochant l'argent — j'avais payé un supplément pour oublier le préservatif de rigueur, mais je ne le regrettais pas.
« Les amis de Walter sont mes amis », déclara-t-elle en me quittant.
J'y retournai le lendemain, à la première heure. Je devais impérativement me faire à l'idée que Rachel était enceinte et Amanda était le meilleur moyen, à ma connaissance, pour me détendre, pour me changer les idées. Dire que j'avais craint trop de nonchalance de la part d'une femme de cet âge, notoirement droguée. Quelle erreur de jugement. Quelles étonnantes preuves de sa hardiesse et de sa dextérité n'allait-elle pas me donner au cours des quarante-huit heures qui suivraient. Quels jolis tours n'allait-elle pas sortir de son chapeau.
Elle se montra parfaite. J'en restais parfois hébété. J'essayai de tirer quelques informations de la bouche de Walter mais il ne savait pas grand-chose à propos d'Amanda. Il ne savait plus très bien où il l'avait trouvée, elle faisait partie de ces adresses que l'on s'échangeait entre amis, ou Dieu sait quoi, et maintenant il voulait savoir pourquoi je m'y intéressais.
« Ne t'occupe pas de ça, lui dis-je. Mêle-toi de ce qui te regarde. »
Il ricana sans dire un mot. Puis il haussa les épaules — une habitude, chez lui. Je me tournai vers le lac.

« Tu étais au courant, n'est-ce pas, déclarai-je sur un ton calme. Tu attendais quoi, pour m'en parler. Parle-moi, espèce de connard. »

Il balaya le sol des yeux — comme s'il pistait un animal invisible.

Nous travaillâmes durant tout l'après-midi sur les nouveaux morceaux, écoutâmes cent fois les différentes pistes, hésitâmes, dressâmes des listes, marchâmes de long en large, sombrâmes sur de vieux canapés, fumâmes, bûmes, urinâmes. Puis, le soir venant, je retournai à cette effroyable histoire : « Elle a quarante-trois ans, attaquai-je de nouveau. C'est quoi, cette folie. Qu'est-ce que tu as foutu.

— Parce que tu penses qu'elle m'écoute. Tu penses qu'elle écoute qui que ce soit.

— Mais Rachel, enceinte. Rachel, avec un enfant, balbutiai-je.

— Tu vas l'en empêcher. Ne me fais pas rire. Tu sais bien que non. Inutile d'essayer. »

Il avait raison. Rachel était irréductible. Elle faisait partie de ces êtres absolument sourds aux avis contraires, plantés, arc-boutés, ne reculant jamais. Je savais à quoi m'en tenir, mais je ne pouvais m'y résoudre sans broncher. « Je ne peux pas l'accepter, Walter. Je ne peux accepter qu'elle revienne avec l'enfant d'un autre dans son ventre. On ne peut pas me demander ça. Aucun type normal ne peut avoir des idées aussi larges.

— Qui te le demande. Tu as raison. Envoie-la promener.

— C'est exactement mon intention. Rouvrir ces vieilles blessures. Mais qu'est-ce qu'elle a dans la tête. C'est la pire chose qu'elle pouvait me faire, la pire. Ça me donne des haut-le-cœur.
— Et comment. Je me mets à ta place.
— Tu ne peux pas te mettre à ma place. Tu es son frangin. J'ai été son mari. Tu ne peux pas savoir ce que je ressens réellement, comme je ne peux pas savoir ce que tu ressens toi-même. En tout cas, elle me fait mal. Très mal.
— Tu crois que je ne le sais pas, grogna-t-il. Tu crois que je connais pas le problème. J'ai l'air d'être une pierre. »
Je proposai que l'on se remît au travail sans attendre. Il faisait toujours aussi chaud. Le crépuscule s'étalait. L'horizon se teintait d'un beau rouge acidulé transparent. Nous portions une attention particulière à ma dernière composition qui fonctionnait sur une espèce de loop au vibraphone. On l'écouta. « Cette chanson exprime exactement ce que je ressens, déclarai-je en hochant la tête. Rachel a parfaitement raison de se sentir visée. »
Et à ce moment-là, je ne savais pas encore jusqu'où elle pouvait aller — je ne pouvais d'ailleurs pas imaginer scénario plus détestable que celui qu'elle m'écrivait alors.
« Fonce, n'attends pas, me dit-il. Mets ses affaires dehors. Je viendrai les prendre. Plus tu attends et plus

ce sera dur. Tu aurais déjà adouci ta peine si tu l'avais fait plus tôt. »
Je ne l'écoutais pas. J'étais devant un mur de brouillard insondable. Qu'aucune lumière ne pénétrait.
Il se passa encore un jour ou deux avant que j'aborde le sujet avec elle.
« Ne compte pas sur moi pour en parler, dis-je. Tu m'entends, je ne veux rien savoir de cette histoire. Tu es complètement dingue, ma pauvre fille. Tu as vu ton âge. »
Elle refusa de m'adresser la parole jusqu'au soir.
« Au moins, nous savons maintenant à quoi nous en tenir, déclarai-je en serrant les dents. Je suis désolé.
— Arrête. Ne sois pas stupide. »
Je songeai à l'étrangler, la nuit venue. J'entrai dans la chambre et je la regardai dormir. Sa canne abandonnée sur la descente de lit, ses bas sur le fauteuil. Je me demandais si une femme qui pouvait à peine marcher correctement, dont le bassin avait été réduit en miettes, dont les chairs avaient été ouvertes, écrasées, était censée tomber enceinte. Je ne savais pas quel plaisir terrible elle prenait à piétiner nos existences, quelle force obscure l'avait toujours poussée à nous frapper, à nous anéantir. Je m'attardai un instant au-dessus d'elle, retenant ma respiration. Elle dormait. Sa beauté me touchait toujours autant. Je désirais caresser sa joue mais je craignais qu'elle ne me surprenne et je n'avais pas d'explication à lui donner. Je restai donc sans bouger, à demi penché sur elle — il me semblait que je

n'avais pas eu l'occasion de le faire depuis des années alors que cet hiver encore nous étions ensemble, même si nous ne filions plus le parfait amour.

Par miracle, son visage avait été épargné, pas la moindre coupure, pas la moindre petite cicatrice à déplorer — alors que le moteur de la voiture était pratiquement sur ses genoux.

Je l'observai encore une minute puis tournai les talons.

Le lendemain, elle me retrouva au petit déjeuner et elle me tint d'emblée un long discours sur mon côté atroce, ma froideur, mon égoïsme sans nom — le tout émaillé d'exemples qu'elle exhumait de je ne sais où.

Au bout d'un moment, lorsqu'elle me laissa enfin placer un mot, je voulus savoir si elle était revenue ici, dans cette maison, dans le seul but de s'en prendre à moi, dans le seul but de me critiquer, en tout cas ça y ressemblait, alors que j'aurais souhaité commencer cette journée en m'épargnant des brûlures d'estomac ou une migraine. « Pourquoi n'attrapes-tu pas ton téléphone pour appeler ce Tony de malheur et ne lui demandes-tu pas ce qu'il fabrique plutôt que de t'en prendre à moi.

— Je regrette, mais je ne lui adresserai plus jamais la parole, déclara-t-elle. Il est mort, il n'existe plus pour moi.

— Personnellement, je ne vais pas le regretter.

— Tu n'as pas à le regretter ou à ne pas le regretter. Ton avis sur la question n'intéresse personne. »

J'emportai mon café sur la terrasse. J'avais beau être

habitué à ses sarcasmes, à sa brutalité envers moi, chacune de ses flèches me touchait. Elle me rejoignit. « À qui la faute si nous en sommes là », me lança-t-elle à la figure.
C'était sa botte secrète. Son arme magique. J'avais l'impression qu'à l'instant elle me projetait dans un autre monde, sous un ciel où je ne pouvais qu'errer muet et sans forces. Je ne connaissais pas la parade. Chaque fois qu'elle employait cette arme contre moi, elle mettait fin à la moindre objection, à la moindre tentative de résistance de ma part.
Elle me demandait parfois si j'avais besoin d'un dessin. Ou de quelque chose pour me rafraîchir la mémoire. Tout en vrillant son regard au fond du mien. Je ne connaissais pas non plus le moyen d'effacer la marque apparue sur mon front. Je n'avais aucun moyen de me défendre. Aucune chance. L'adultère était avéré. J'étais celui des deux qui avait mis le feu à la mèche. Point. J'étais celui qui avait failli. Et j'avais beau ne pas avoir été impliqué directement dans les événements qui avaient suivi, je n'en portais pas moins une énorme part de responsabilité. J'avais détruit notre couple. C'était moi qui lui avais porté le coup fatal. Aucun doute.
Comme je ne répondais pas à sa question, elle m'en posa une autre : « Qui est cette femme que tu vois. Est-ce que je la connais. »
Je ne m'étonnai pas trop qu'elle soit au courant de mes rendez-vous avec Amanda. Elle m'avait autrefois démasqué alors que je prenais d'infinies précautions,

me déplaçais à pas de loup, filais en rasant les murs, gardant mon téléphone sur moi nuit et jour, prenant des douches, me rinçant plusieurs fois la bouche avec un élixir à l'essence de girofle, mangeant deux fois.
« Tu ne la connais pas, répondis-je, mais tu l'as déjà vue. Nous l'avons trouvée dans un fauteuil, l'autre jour, souviens-toi. »
Elle s'esclaffa : « Daniel. Est-ce que tu veux parler de cette... de cette... »
Je hochai la tête. « Figure-toi qu'elle a joué de la guitare dans un groupe de filles. C'est amusant, non. C'était pas mal du tout. »
Je m'apprêtais à lui en faire écouter un morceau mais elle me retint : « Merci, Daniel, ça ira comme ça. Je te fais confiance. »
Je retournai dans mon studio sans faire de commentaires. J'y travaillai jusqu'au soir puis je descendis en ville et déposai trois cents euros sur la table d'Amanda — je faisais à présent partie des quelques privilégiés autorisés à la rencontrer chez elle — avant de me déshabiller.
« Si tu es libre ce soir, déclarai-je, nous pouvons commander à dîner, qu'en dis-tu. »
Elle était libre. Je la remerciai de tout mon cœur pour m'avoir épargné un pénible tête-à-tête avec Rachel. « Je te remercie, Amanda », lui soufflai-je à l'oreille en la baisant avec soin — la baiser était inclus dans le prix. Nous avions éteint la lumière et le clair de lune qui baignait la chambre avait une blancheur électrique.

« Que ferais-tu à ma place, demandai-je tandis que je suais agréablement sur elle.
— Ma foi, je pense que c'est à elle de décider. »
À ces mots, je sentis aussitôt mon érection s'envoler. En une seconde, mon sexe perdit l'essentiel de sa taille et il s'ensuivit que ce membre flasque glissa hors d'elle comme une pattemouille. Je secouai la tête. « Je te demande pardon, Amanda, mais ce n'est pas *uniquement* à elle de décider. *Certainement pas.* Je suis là. Ça fait une légère différence, me semble-t-il. »
Elle se dressa sur ses coudes, interloquée, les cheveux en bataille, les jambes encore ouvertes. Je penchai la tête. « Je devrais supporter ça, d'après toi. L'accompagner pendant sa grossesse, m'occuper d'un nourrisson. Tu plaisantes. C'est un cauchemar, n'est-ce pas. Cette femme n'est plus la mienne depuis des mois, tu es sourde. Pourquoi devrais-je souffrir davantage. Pourquoi accepter ces épreuves insensées. Je n'ai jamais pu la mettre enceinte, Amanda. Tu comprends. Tu me suis. »
Elle tendit le bras pour me caresser la joue. Je n'étais pas encore très vieux mais je ne réagissais plus au quart de tour, je devais me reconcentrer, et le silence tomba lourdement entre nous durant quelques minutes. Un léger frisson d'horreur me parcourut. Je savais que les signes ne feraient que se multiplier, s'additionner, et ce n'était guère réjouissant — mes cheveux allaient tomber, mes bras allaient s'engourdir, mes jambes allaient s'atrophier, mes organes allaient pourrir, etc. —, mais

je m'empressai de m'arracher à ces tristes rêveries et reportai toute mon attention sur ses attributs sexuels.
Je la quittai au milieu de la nuit. Inutile de dire que la décision de Rachel me préoccupait et me perturbait au plus haut point. Je marchai jusqu'à la maison dans une douce odeur de vase qui provenait du lac. La lune avait disparu derrière les crêtes mais son halo demeurait puissant et irradiait dans le ciel noir comme un nuage de sucre pulvérisé.
J'aperçus de la lumière en arrivant, à l'étage de la maison. Il suffisait d'un rien, quelquefois, pour saisir la substance profonde des choses. Je frissonnai, tout à coup. Je passai ma langue sur mes lèvres.
Je n'avais pas réussi à la mettre enceinte. J'en avais été incapable. Nous avions décidé de ne pas chercher à savoir lequel des deux avait un problème, mais j'étais persuadé que cela venait de moi et cette sensation de mort au fond de mes entrailles ne me réjouissait pas beaucoup.

Je donnai une série de concerts en m'arrangeant pour ne pas m'absenter plus de trois jours d'affilée afin de ne pas la laisser seule. Notre relation était au beau fixe — en dehors du fait que nous n'avions pas encore couché ensemble depuis son retour et que cette situation me pesait au-delà de ce que je pouvais en dire. « Laisse-moi me réhabituer, déclarait-elle. Laisse renaître mon désir. » Dès lors, j'avais le choix entre me comporter en animal ou en type civilisé. Je me contentais donc de quelques enlacements furtifs qui ne débouchaient sur rien, de quelques chastes baisers — absolument, foncièrement ridicules à mon goût après tout ce que nous avions fait autrefois, Dieu nous pardonne —, de l'entretien de ses jambes que j'huilais et massais à l'envi — en particulier l'intérieur et le haut de ses cuisses, mais je ne m'aventurais pas au-delà, lorsque mes doigts n'étaient plus qu'à un centimètre ou deux de sa culotte, ils se tordaient, se vrillaient, ils prenaient feu comme de la paille, et ma souffrance devenait insupportable — intérieurement, je hurlais.

Par chance, je voyais Amanda régulièrement, ce qui me permettait de tenir le coup quand je croisais Rachel à demi nue dans une pièce ou l'autre de la maison.

Mais allais-je tenir encore longtemps si Amanda m'abandonnait en cours de route. Je commençais à m'en inquiéter. En quelques mois, elle avait bien maigri et son intérêt pour le sexe diminuait à vue d'œil. Ne m'avait-elle pas lancé, l'autre jour : « Tu ne veux pas plutôt que nous regardions un film » alors que je m'apprêtais à la tourner sur le ventre pour nous y remettre après avoir bavardé et fumé une cigarette sans nous presser.

« Je crois qu'il va falloir que tu te freines un peu », lui conseillai-je un matin où elle se piquait devant moi. Elle s'esclaffa : « J'ai soixante-neuf ans, Daniel. Je ne peux rien freiner du tout. » Je finis par sourire. Après l'injection, elle piqua du nez. Je restai un moment près d'elle, allongé sur le dos, à lire mes messages, à relever mon courrier, à rallonger l'interminable liste des choses que j'avais à faire. De temps en temps, je contrôlais sa respiration. Je me souvenais à peine combien elle me bluffait encore quelque temps plus tôt — je me rendais compte que j'avais fini par l'apprécier, qu'une sorte de camaraderie palliait le manque de sexe mais deviendrait vite insuffisante. Or, j'avais besoin d'elle. Rachel me rendait fou. Je regardais grossir ses seins et s'arrondir son ventre et je remerciais le ciel qu'Amanda soit là pour m'aider à retrouver la paix — au moins pour un moment. Nous n'étions guère plus d'une petite poignée à partager ses faveurs de façon régulière, si bien qu'elle trouvait toujours un moment dans la journée pour dépanner l'un ou l'autre en cas d'urgence, de sévère déprime, de désolation, et elle faisait partie des rares sur qui l'on pouvait compter, qui avaient *réellement* à cœur de soulager la frustration et la souffrance des hommes — qui au moins en avaient entendu parler. Elle était vive et charmante lorsqu'elle n'était pas défoncée. Elle mimait la jouissance à la perfection, taillait des pipes formidables, jouait la sincérité à fond. Personne n'aurait eu envie de la perdre.

Elle flottait à présent dans ses vêtements, ses joues s'étaient creusées. Sous le ciel blanc, lumineux — je l'emmenais parfois faire le tour du parc au petit trot, mais elle abandonnait au bout de quelques mètres, me traitait de foutu idiot —, elle faisait assez peine à voir, elle marchait les épaules basses, la tête baissée, les che-

veux dans la figure, et elle me disait : « Mêle-toi de ce qui te regarde, tu veux. Fiche-moi la paix, Daniel. »
Je me suis arrêté au milieu du trottoir. Il faisait froid. Nous avions les joues rouges. J'ai croisé les bras et je l'ai regardée. « Très bien, ai-je dit. Alors on ne se verra plus. Je regrette. Je ne veux pas être complice. » Les passants filaient autour de nous, la circulation était dense et quelques flocons tardifs virevoltaient dans les airs.
« Que tu es mélodramatique, soupira-t-elle. Ne transforme pas une souris en montagne.
— Qu'entends-tu par mélodramatique. »
Elle me fixa sans répondre, puis fit demi-tour. Je la rattrapai au croisement, la saisis par le bras. « Je ne vais pas te laisser faire », lui lançai-je.
Elle leva les yeux au ciel et dégagea son bras.
« Rachel que ce soit clair. J'ai rencontré Amanda avant que nous ne décidions toi et moi de nous remettre ensemble — quoi que cela veuille dire. Tu étais sortie de ma vie depuis des mois, tu étais en ménage avec un autre homme. Souviens-toi. Tu ne peux pas arriver et retrouver les choses comme tu les as laissées. Ça ne marche pas comme ça. »
Je parlais fort car elle était sous la douche. Le jet aspergeait la vitre. Rachel était cramponnée aux barres d'appui chromées que j'avais fait mettre pendant qu'elle était à l'hôpital et qu'elle hurlait encore dès qu'elle posait un pied sur le sol et tâchait de faire un pas. Elle avait un dos athlétique. « Amanda ne va pas

bien, déclarai-je. Écoute, c'est juste une amie, désormais. Tu es la seule qui compte pour moi. Mais je ne peux pas la laisser tomber. Je dois voir si je peux faire quelque chose pour elle. »

Elle resta une longue minute silencieuse. J'eus le temps d'observer sa forme floue derrière la vitre perlée de gouttes avant qu'elle ne coupe l'eau. « Daniel, c'est une pute, ce n'est pas la reine d'Angleterre, me dit-elle. Qu'est-ce que tu me racontes. De quoi parles-tu. » Elle tendit la main pour que je lui donne un peignoir. Durant deux ou trois secondes, je photographiai sa poitrine, ses bouts pointus, roses, érectiles, incroyablement excitants. « Donne-lui de l'argent et n'en parlons plus », fit-elle en empoignant sa canne et en passant devant moi sur ses deux jambes raides — je ne me masturbais jamais mieux que devant le portrait de cette fille qui joue dans *Crash* et Rachel m'y faisait immanquablement penser, plus vieille d'une douzaine d'années, sans doute, mais plus mystérieuse, plus large d'épaules, et autrefois, lorsqu'elle acceptait d'enfiler des bas noirs troués sans porter de culotte, elle me déchirait vivant.

Elle revint à la charge dans l'après-midi, après que je fus sorti pour déblayer la neige tombée devant la porte — je souhaitais rester simple, garder l'estime de mes voisins. J'avais à peine terminé mon ouvrage qu'elle surgit devant moi et me demanda si j'avais fait le nécessaire auprès d'Amanda. Je pris le temps d'enlever mes bottes, de les secouer dans l'entrée.

« Pas encore. Pas exactement, dis-je. Tu sais, je pense qu'elle devrait partir en cure. »
Elle feignit d'y réfléchir une seconde. « En tout cas, ce n'est pas ton problème, finit-elle par me déclarer. Il y a des médecins pour la prendre en charge, des cliniques, des hôpitaux. Ce n'est pas à toi de t'en occuper. J'imagine qu'elle a une famille, non. Ne te complique pas la vie à plaisir, Daniel. Regarde-moi : toi et moi sommes la priorité. Crois-moi, c'est essentiel. »
Je baissai les yeux. « Je ne garantis pas de pouvoir tenir le coup », dis-je. Après une profonde inspiration, je les relevai : « Puisque nous en parlons, Rachel, je crois que je n'ai pas les nerfs qu'il faut.
— Allons, ne dis pas de bêtises. Nous ne sommes pas de jeunes mariés. »
Ce désir dont elle parlait et qui devait renaître — que je devais attendre bien sagement — ne donnait aucun signe de vie. Pas le moindre. Je commençais à me demander si elle m'avait jamais réellement aimé.
Je connaissais Rachel mieux que quiconque. Je savais qu'elle me jouait une espèce de comédie, mais je ne savais pas laquelle. Pourquoi refusait-elle de coucher avec moi. Pourquoi se remettre ensemble si c'était pour faire chambre à part.
« Je ne refuse pas de coucher avec toi, qu'est-ce que tu vas chercher. Je n'y peux rien si je ne suis pas prête. Mais si c'est tout ce que tu veux, si tu ne peux plus attendre, eh bien, faisons-le quand tu voudras, faisons-le dès que possible. Je ne t'en voudrai pas, tu sais.

— Je n'ai jamais dit ça, Rachel.
— Mais c'est exactement ce que ça signifie. Daniel. Laisse-moi te dire une chose. Je ne sais pas comment tu le vis de ton côté, mais ce n'est pas évident pour moi. C'est d'avoir été trop aveugle, sans doute. Je refuse de me précipiter désormais.
— Tu sais qui je suis. Nous avons eu vingt ans de vie commune. Je n'appelle pas ça se précipiter.
— J'aimerais avoir ton assurance. J'aimerais être aussi sûre de moi. Tu as vraiment perdu la mémoire, n'est-ce pas. Ce que je ressens pour toi ne m'empêche pas d'être lucide. Nous savons bien qu'aucun sentiment ne résout jamais rien. Je n'ai pas envie d'échouer une seconde fois avec toi, voilà ce qu'il y a.
— Nous n'allons pas échouer.
— Non, écoute, cette méthode ne marche pas avec moi. Daniel, ce qui m'attend avec toi me fait peur. La simple excitation que ça provoque me fait peur. Coucher avec toi ne va pas m'apporter la solution, au contraire. Et pardonne-moi d'en parler, mais je vivais avec un autre homme il n'y a pas si longtemps. Tu dois essayer de comprendre. Ce n'était pas une simple aventure. Je dois muer, je dois me débarrasser de cette peau morte. »
Je demeurai le reste de l'après-midi, jusqu'au début de la soirée, enfermé dans mon studio, à imaginer tout ce qu'elle avait pu faire avec l'autre durant ces huit mois et j'en avais la tête en feu. Les subtiles variations de

lumière sur le lac, les ombres qui s'étiraient, la course des nuages ne parvenaient pas à m'apaiser.
La nuit était claire. Il faisait un froid sec. J'attrapai mon anorak et descendis en ville sans repasser par la maison — les lumières de sa chambre qui brillaient à l'étage disparurent au premier virage dans les bois. J'avais besoin de boire un verre, de prendre l'air, avant tout.
Je considère un instant mon verre vide et en commande un autre. Je le bois. Je ferme les yeux. Je les rouvre. Il est encore tôt, le bar est presque vide. « Walter, est-ce que ce n'est pas Brad Pitt que j'aperçois au fond de la salle. Je suis sûr qu'il m'a vu. Bon, attends-moi une minute. Brad me fait signe. » Je quitte mon tabouret et m'en vais donner une accolade à Brad qui m'accueille les bras grands ouverts. Nous nous embrassons. Il porte barbiche et moustache, la fameuse circle beard. Nous échangeons quelques mots. Il a adoré mon dernier concert. C'est bien. Puis je tressaille, un trou noir s'ouvre devant moi, un insondable abîme : je n'ai pas vu son dernier film, ni d'ailleurs même celui d'avant. Je ne sais pas ce que j'ai fichu. Je perds pied une demi-seconde puis je me penche de nouveau vers lui et je l'embrasse sur les deux joues en lui malaxant les épaules, je lui dis qu'il est vraiment le meilleur et que nous devons absolument nous voir — je lui laisse entendre que Rachel est revenue. Puis je retourne m'asseoir auprès de Walter. Je reprends un Hendrick's. Il y a un excellent pianiste et de profonds fauteuils dans

ce club. Mais je ne l'écoute pas, je reste assis sur mon tabouret, je m'accoude au comptoir et plaque mes mains sur mes oreilles.
Je rentre tard et très éméché, Walter m'a laissé devant le portail et seul le fouet de l'air glacé m'empêche de tourner de l'œil tandis que je traverse le gazon givré qui crisse à chacun de mes pas comme de la gaufrette. Je ne sens rien mais je sais qu'il fait froid.
Rachel apparaît sur le perron, enroulée dans une couverture. Je dois faire un effort pour tenir debout.
« Tu étais avec elle », me lance-t-elle.

Je prenais mon travail très au sérieux. Je donnais toujours le meilleur de moi, j'écrivais toujours les meilleures chansons dont j'étais capable, mais Georges était en train de m'expliquer que le problème n'était pas là.
« Eh bien où est-il, répliquai-je. Dis-le-moi, je t'écoute. Je suis là pour ça.
— Tu es de plus en plus sombre. Voilà ce qu'il y a. Continue dans cette veine et ça ira de mal en pis. C'est comme de s'avancer vers l'obscurité. Ça ne se termine jamais bien.
— Ça veut dire quoi *de mal en pis*. Tu essaies de me faire peur.
— Évidemment. J'ai des types au-dessus de moi, maintenant, tu es au courant, j'espère. Nous ne sommes plus dans les années quatre-vingt. Ils se foutent de connaître mon avis. Pour eux, je ne pèse rien. » Il souf-

fla dans sa main et se débarrassa de ce rien dans les airs. « Alors à ta place, je me méfierais, reprit-il. À part moi, tu n'as plus beaucoup de défenseurs dans la maison. »
Je ricanai : « N'appelle plus ça une maison, par pitié. C'est tout sauf une maison, ça devient grotesque, à la fin. Ce n'est qu'un simple repaire de nazes qui ne connaissent rien à ce métier et rien à la musique et qui n'ont jamais eu d'autre ambition que de s'en mettre plein les poches et d'occuper les bonnes tables, le soir, et de finir la nuit dans les bons endroits. Tu appelles ça une maison, dis-moi. Tu y sens la présence d'une âme, peut-être. D'une ambition collective. »
Nous demeurâmes un instant silencieux, également assommés, l'un et l'autre, par l'édifiant constat de cette dérive et par cette faculté qu'ont les hommes de toujours travailler à leur propre destruction — comme se donner de mauvais chefs, empoisonner les champs ou désirer des femmes trop belles.
« Ne viens pas pleurer dans mes bottes, Georges. Tu es là où tu l'as voulu. Tu es allé leur manger dans la main. Tu leur as dit amen. Salaud. »
Nous étions installés dans les fauteuils de son bureau avec des martini-gin. Quelques flocons tombaient, tourbillonnaient derrière les vitres, au milieu des tours. Il me considérait en silence, avec un vague et triste sourire. « J'ai besoin de deux chansons, Daniel, de deux chansons un peu plus gaies. Ou un peu moins sombres. Seulement deux. »

J'avais piqué quelques colères dans ce bureau au fil des années, j'avais cassé quelques chaises, mais cette fois, je gardai mon calme.
« Sinon quoi, demandai-je.
— Ils ne sortent pas l'album dans ces conditions. »
Je baissai la tête. Je ne pouvais même pas me sauver avec les bandes, elles étaient enfermées dans un coffre.
« Ça ne te gêne pas d'être la lame qui me transperce, demandai-je. Alors que nous nous connaissons depuis le début, alors que j'ai peu ou prou participé à ta réussite. Ils te demanderaient de me sacrifier dans le hall, de m'égorger comme un mouton, tu le ferais, n'est-ce pas.
— Je t'en prie, Daniel, ne me rends pas la tâche plus difficile. Pourquoi ne ferais-tu pas un effort, pour une fois, pourquoi ne ferais-tu pas quelques sacrifices, à ton tour. »
Je ne réponds rien, mais je commence à entrevoir, non pas comment l'on écrit une chanson plus gaie, mais comment l'on en écrit de moins sombres. De plus peinturlurées.
Je dévisage Georges un instant. Ce qui semble le mettre mal à l'aise si j'en juge par la grimace qu'il fait tandis que je sonde son âme de fourbe et de collabo — l'insensibilité et le manque de courage font partie du lot. Une grimace de douleur, donc. Quelque chose le contrarie. Moi, ma présence. Je suis le vivant reproche, je suis le miroir de sa honte, la condamnation incarnée de sa traîtrise, de sa lâcheté. De sa pusillanimité. Il

n'est plus du côté des artistes, il a rallié l'autre bord et s'est mis sous les ordres de jeunes types débarqués de L'Oréal ou Auchan — de jeunes frimeurs, de vrais ringards revenus de tout, à qui ils nous ont tous vendus. À trente mille euros par mois, hors les primes, Georges acceptait de se flageller un peu en ma présence, de reconnaître sa capitulation devant le confort et son choix de la facilité — qui trop souvent inspire nos actes, notez. Il sortait alors les bouteilles de son minibar et commençait à verser des larmes après deux ou trois verres, sur son job, sur sa mère, sur la vanité humaine, sur la vacuité de l'existence.

« Je vais essayer de faire ce que tu me demandes, lui dis-je après réflexion. Mais je ne te le pardonnerai jamais, Georges. En tout cas, ta requête en dit long sur la valeur que tu accordes à mon travail. Espèce de salaud.

— Quoi. Je suis un de tes plus fidèles admirateurs, Daniel. Comment peux-tu me dire ça. Mon vieux, si tu savais.

— Tu pourrais aussi conseiller à Scorsese de mettre un peu moins de poudre dans ses films, à Lowry d'avoir le vin plus gai. Ça serait mieux, non. »

Je regardai ailleurs un instant avant de poursuivre. Je l'interrogeai de nouveau : « Quel genre de respect as-tu réellement pour moi, Georges, dis-moi, pour me demander une chose pareille. Tu vois où tu en es. » Il me tendit un verre. Les murs de son bureau étaient tapissés de portraits d'artistes de la maison et tous savaient de quoi je voulais parler, tous avaient été

confrontés à l'hypocrisie, au chantage, au double discours qui se pratiquaient ordinairement dans cette maison — comme chez les autres, certes.
J'attrapai mon verre sans quitter Georges des yeux. J'aurais dû me sentir blessé de découvrir le genre d'homme avec lequel j'avais travaillé durant toutes ces années — collectionné disques de platine, invitations aux quatre coins du monde, palaces, maîtresses —, l'homme à qui j'avais accordé ma confiance, livré mes joies, mes interrogations, mes soucis, mais je ne l'étais pas. Je n'étais pas blessé. Je n'étais même pas touché. Je restais assis à côté de lui et souriais.
Ne l'avais-je pas toujours su. N'avais-je pas simplement accepté d'être dupe, de croire aux louanges qu'il m'adressait, aux étreintes qu'il m'administrait lorsqu'il me rejoignait dans les loges pour me féliciter et m'assurer que ma prestation l'avait emballé et lui avait flanqué la chair de poule — et avait accessoirement garni son compte en banque —, et l'avait bouleversé. De ce point de vue, nous avions formé une belle équipe, lui et moi. Une belle équipe de faux culs, de fausses personnes. Et maintenant, il se tenait devant moi, levant péniblement son verre en signe de paix, baissant déjà la tête.
« Plus jamais, Georges, fis-je d'une voix sourde, que ce soit clair. Je ne veux plus jamais entendre un seul mot de toi sur mon travail. Je ne veux pas savoir ce que tu en penses. Je me contrefous d'avoir ton avis, dorénavant. J'espère que tu as bien entendu. Je ne te le dirai

pas deux fois. Mais pour le reste, restons comme ça. Ne mélangeons pas tout. Soyons professionnels. Je vais réfléchir à ta demande.
— Fais-le. Je ne t'en demande que deux. Tu me remercieras, plus tard, quand les temps seront encore plus durs. Tu vas avoir des dépenses supplémentaires, il me semble. Sois un peu pragmatique. Tu n'iras pas en enfer pour deux petites concessions arrachées à ta noirceur. On ne te demande pas de te renier, figure-toi.
— Ce que tu me demandes est pire encore. »
Il avait le bras toujours tendu vers moi, implorant un hypothétique geste de conciliation de ma part, mais voyant que je ne bougeais pas, il s'énerva : « Oh putain, Daniel. Par pitié. »
Je le regardai. « Va te faire foutre », lui dis-je en me levant.
Les rues étaient pleines de neige. On salait. La nuit était tombée depuis un moment. Lorsque je racontai cette histoire à Rachel en rentrant — j'étais passé voir s'il ne lui manquait rien avant de regagner mon studio —, elle décida aussitôt de ne plus lui adresser la parole. Et soudain elle se souvint que je l'avais pris pour témoin lors de notre mariage et elle se demanda si ça n'avait pas nui à notre union que d'y avoir associé un faux jeton pareil, d'avoir prononcé nos vœux en sa présence, d'avoir signé au bas du même document. Elle avait pris un ton narquois pour l'occasion, mais je décidai de ne pas répondre. « Ça te semble stupide », insista-t-elle. En tant que grand responsable de notre débâcle conjugale

— mère de tous les désordres, de tous les errements, tous les déchirements que nous avions connus l'un et l'autre après coup —, non, ça ne me semblait pas stupide.
Parfois, j'avais l'impression d'avoir largué une bombe sur nos têtes. D'avoir anéanti toute une contrée. Si je l'oubliais, si je rêvassais un instant, si le ciel s'illuminait une seconde, un coup d'œil sur ses jambes se chargeait de me le rappeler, de me nouer l'estomac, de bloquer ma respiration.
Il n'y a qu'en composant de la musique, en écrivant des paroles sur cette musique ou l'inverse, peu importe, que je me sens bien, que je me sens libre, que je sens une communion entre mon corps et mon esprit, et Georges fichait tout ça en l'air, Georges balayait tout ça du revers de la main. Je tournai en rond jusqu'à une heure avancée de la nuit. Persuadé qu'un collier m'enserrait la gorge. Dehors, le vent soufflait, quelques feuilles noires résistaient encore dans les arbres, des petits paquets de neige cristallisée glissaient des branches. Pour finir je branchai ma Gibson et tâchai de retrouver mon calme.

Lorsque Tony réapparut, quelques semaines plus tard, dans le matin clairet, brouillardeux, on me livrait un nouveau piano à la suite d'une publicité que Walter m'avait fait tourner pour Yamaha, un cadeau que les Japonais voulaient me faire pour l'ensemble de mon œuvre, en plus de mon cachet, un splendide piano

blanc qui avait servi pour les prises de vues et pour lequel j'avais craqué au bout de quelques accords, j'en avais gémi — j'attends toujours un geste aussi élégant de la part d'Apple mais je ne vois rien venir, il n'y a pas plus radins que les Américains tandis que les Japonais savent encore à peu près vivre. Bref, j'avais assisté à la livraison de mon nouvel ami — chaque instrument acheté au cours de ma carrière devenant aussitôt un ami, un être cher — avec les frayeurs d'usage, quelques coups au cœur durant le transbordement — je craignais qu'on ne me le raye, qu'on ne me l'abîme, et les types s'y prenaient d'une manière un peu gauche, selon moi. Il faisait froid, le sol était verglacé, le soleil rasant, ils étaient quatre, des gars costauds dont l'haleine formait un panache translucide qui s'effilochait au-dessus de leur tête. Tandis que je les guidais, que je leur donnais quelques conseils pour parvenir jusqu'au studio sans encombre, Tony entra soudain dans mon champ de vision. Tony. Nous étions sans nouvelles de lui depuis des mois. Le père de l'enfant que Rachel était en train de confectionner dans son ventre. Celui-là même. L'apercevant qui remontait vers moi sur le flanc gauche, et revenant de ma surprise, je me contentai de lui indiquer de la tête la porte de la maison derrière moi et j'avertis les gars de redoubler d'attention car le goudron glissait devant le garage.
Il me sembla qu'alors les choses tournèrent au ralenti, que les sons se distordirent. Tony arrivait presque à ma hauteur, en contrebas, mais rien à son air n'indiquait

qu'il ressentît une once de culpabilité, la moindre gêne vis-à-vis de moi, en fait ce type me haïssait et son œil brillait d'un éclat mauvais. Quand nous ne fûmes plus qu'à quatre ou cinq mètres l'un de l'autre, il me parut que son visage frôlait déjà le mien, grimaçait, que la tiédeur de son haleine passait sur moi comme une langue. Visiblement, m'avoir pris ma femme ne lui suffisait pas.

Alors, comme dans un rêve je pivotai et lançai un bras vers lui pour l'empoigner et tout bascula. Je crois que j'avais eu l'intention de le frapper car un élan de fureur m'avait bel et bien saisi, ma vue s'était brouillée, et c'est ainsi qu'emporté par mon élan et par la sévère torsion que j'imprimais à mon buste, je dérapai et je crochetai brutalement les jambes d'un des hommes qui transportaient le piano. Et les trois autres ont poussé des cris tandis que le piano valdinguait au diable et explosait littéralement le crâne de Tony contre la bordure de mon trottoir — en produisant un son musical, comme une sorte de gong en plus raffiné qui resta suspendu dans l'air figé. Jusqu'à ce que nous reprenions nos esprits.

J'en conviens. J'ai eu moi-même les plus grandes difficultés à croire ce que j'avais sous les yeux. Je me suis demandé si je n'allais pas avoir une attaque. Tony perdait du sang par le nez, par les yeux, par les oreilles. Les types se sont précipités en jurant, ils ont redressé le piano qui s'était un peu démantibulé sous le choc mais Tony était déjà mort.

Sur le coup, je me suis assis, je me suis laissé choir sur les marches du perron tandis que les livreurs s'affairaient autour du corps sans oser y toucher. Je me suis tenu à la rampe.
Durant de longues minutes, mon esprit a refusé d'enregistrer ce qu'il voyait — jusqu'à l'arrivée d'une ambulance. Jusqu'au moment où j'ai entendu Rachel pousser une sorte de hurlement hystérique — très exagéré — en débouchant du jardin. En se précipitant vers lui.
Puis les livreurs ont commencé à s'égailler et à raconter comment les choses s'étaient passées et ils ont parlé de ma chute inopinée, et bla bla bla, à droite et à gauche, donnant le maximum de détails, d'interprétations, tant et si bien que Rachel profita que nous soyons seuls, vers la fin de l'après-midi, pour me demander si je ne m'étais pas battu avec Tony.
« J'ai glissé devant le garage, Rachel. C'est un stupide accident. »
Ses yeux sont encore gonflés des larmes qu'elle a versées.
« Dis-moi pourquoi je n'arrive pas à te croire, Daniel. »
Je me lève et vais me confectionner un sandwich.
« Un des types a déclaré que ta soi-disant chute était louche », me lance-t-elle du salon. Je hoche la tête. Tout ça n'est pas bon pour nous, j'en ai bien conscience.
« S'il te plaît, Rachel. Je suis fatigué », dis-je.
Et je sors sans attendre.

Bien sûr, je n'ai pas besoin de ce genre de publicité, et d'avoir des policiers devant chez moi, des photographes, des curieux est la dernière chose à souhaiter. Et c'est encore pire que ça, je suis vaguement soupçonné d'avoir volontairement provoqué l'accident, même si personne n'ose me le dire en face. Car enfin, j'avais toutes les raisons de me débarrasser de Tony et cette version plaisait, les professionnels l'aimaient bien, j'imaginais les pages qu'on noircirait dans certains journaux, je faisais de nouveau scandale, on allait de nouveau étaler ma vie au grand jour, parler de mes prétendues frasques, du couple infernal que nous avions formé autrefois. Bob m'a appelé plus tôt dans la matinée pour me souhaiter bon courage. Et il avait raison, il allait m'en falloir. « Bob, j'ai l'impression d'être damné, lui dis-je. C'est gentil d'avoir appelé. C'est réconfortant. » Ensuite, j'ai eu Georges. « Mais qu'est-ce que c'est. Qu'est-ce que tu fabriques. Je viens de te voir au journal », me lance-t-il. Je lui précise que ce n'est que l'édition régionale mais il s'en moque. « Ne viens pas pleurer si tu vends moins de disques, Daniel. C'est tout ce qui manquait. Que tu passes pour un psychopathe. C'est tellement bon pour ton image.
— Georges, soyons sérieux. Ne sois pas ridicule. Bien sûr que je n'y suis pour rien.
— Je ne te demande pas si tu es innocent, s'emporte-t-il. Est-ce que tu crois que c'est bon, est-ce que tu te sens mis en valeur. C'est tout ce qui importe. Je suis désolé d'avoir à te le dire. Je t'ai dit que nous marchions

sur des œufs. Écoute, c'est quand même dingue. À un moment où tu ne dois pas faire de vagues.

— Tu as remarqué qu'on ne maîtrise pas tout, que c'est parfois le monde qui se met en travers.»

Je suis surpris de voir à quelle vitesse je me détache de lui, avec quelle facilité je me débarrasse des images censées raconter notre histoire, notre rencontre, notre chemin sur la route du succès, mais qui ne racontent plus rien aujourd'hui, tout avait été bâti sur du sable.

«Je vais réfléchir à un geste que nous pourrions faire pour la famille, déclara-t-il. Au nom de toute la maison.

— Très bien. Formidable. Très élégant.

— Si tu as une meilleure idée. Sinon, où en es-tu. Walter me dit que ça n'avance pas beaucoup.

— Ne t'occupe pas de ce que dit Walter. Il est un peu déprimé en ce moment. À l'idée d'être opéré de nouveau.

— Oui, j'ai appris ça. Ses vertèbres.

— Oui, on s'aperçoit que les vis ne tiennent pas le coup.

— Il devrait arrêter la moto.

— C'est ce que je lui ai dit.»

Lorsque Rachel a parlé de la mort du père de son enfant, nous nous trouvions dans la cuisine. À peine quelques jours après le décès de celui-ci. Il avait neigé entre-temps et la température avait considérablement chuté. Le chauffage avait sauté dans le studio, au beau milieu de la nuit, et j'étais pratiquement mort de froid, à l'aube.

J'avais fini par sortir de là, un duvet enroulé autour des épaules, j'avais traversé le jardin en titubant, clignant des yeux dans les premiers rayons du soleil, soufflant dans l'air glacé, et j'avais réintégré la maison, j'étais venu grelotter devant le feu de cheminée et Rachel était descendue me faire un grog — je l'avais réveillée en faisant rouler la baie sur ses rails, c'est pourtant de l'excellent matériel qui au pire n'émet qu'une sorte de doux feulement, mais elle m'explique qu'elle ne dort pas, de toute façon. Elle s'exprime sur le ton qu'elle emploierait pour s'adresser à une chaise. La mort de Tony l'a bien plus touchée que je ne l'imaginais et toute espèce de sentiment qu'elle semblait avoir eu pour moi a disparu. Je suppose que si elle avait été infirmière, elle m'aurait soigné, mais je ne pouvais pas espérer plus, désormais.

C'était hallucinant. Elle ne voulait pas s'ôter de l'esprit que j'avais peut-être sciemment provoqué l'accident qui avait emporté Tony — ce mauvais musicien, ce parfait connard — et quant à moi, j'avais cessé de lutter, je la laissais me dévisager d'un œil terrible, réduire notre conversation à sa plus simple expression, défaire peu à peu les liens que nous avions plus ou moins réussi à tisser une nouvelle fois, au cours de l'hiver. Je ne pouvais rien y faire, malheureusement. Je n'avais que ma parole à lui opposer et c'était insuffisant. La veille, lorsque je l'avais embrassée, j'avais mis ma langue dans sa bouche et elle s'était laissé faire, nous avions bu, j'avais pensé que l'affaire était dans la poche, j'étais presque couché sur elle, mais j'avais déchanté vite en m'apercevant qu'elle ne réagissait pas du tout, qu'elle restait inerte comme un sac de sable, totalement indifférente à mon entreprise.

Je n'avais rien dit. Juste une jambe par terre pour me remettre debout.

Sans doute dois-je m'estimer heureux qu'elle n'ait pas cherché à m'empoisonner ou me poignarder dans mon lit. « Tu n'as qu'à prendre des draps et t'installer sur le canapé », déclare-t-elle d'une voix morte tandis que je souffle sur mon grog.

« Ça peut être réparé dans la journée. Je vais m'en occuper. J'appelle Walter. Ne t'inquiète de rien, dis-je.

— Tu ne me gênes pas.

— Je ne te gêne pas, mais tu grimaces.

— Oui, c'est possible. Ça ne me surprend pas tellement, tu sais. »

Elle se caresse le ventre en regardant ailleurs. Je n'étais plus guère autorisé à y poser la main, ces derniers temps, mais à présent la sagesse m'encourageait à m'en abstenir une fois pour toutes.

En réfléchissant, je me suis mis à la soupçonner à mon tour. J'ai commencé par me dire qu'elle était sans doute beaucoup plus attachée à Tony que je ne l'avais cru et je me suis demandé s'ils n'avaient pas monté une histoire dans mon dos — je ne savais pas quoi au juste —,

ce qui aurait expliqué son refus de coucher avec moi et m'aurait rassuré, d'une certaine manière.
Maintenant qu'il était mort, beaucoup de choses allaient rester dans l'ombre. Que venait-il faire ce matin-là. À quelles confrontations avions-nous échappé. Qu'auraient-ils bien pu échanger. De quelles intentions était-il animé. Ces questions me taraudaient. L'endroit avait été abondamment nettoyé, les traces avaient été effacées, mais je voyais encore la flaque de sang sur la bordure, j'en voyais encore le contour exact, le hideux éclat. Pour finir, j'ai pris deux hommes qui mendiaient à la sortie du Monoprix et je les ai fait creuser à cet endroit précis pour y planter un arbre. Mais je n'y ai rien gagné. Je la vois toujours. Son hideux contour, son éclat exact. « On peut pas effacer ce qu'on a là-dedans, mon vieux, a déclaré le plus âgé des deux en indiquant sa tête tandis que je les reconduisais en ville. C'est de la foutaise de croire qu'on peut. »
J'informe Amanda de l'ambiance qui règne à la maison. « Heureusement que tu es là », dis-je en saisissant sa main. Il fait beau, l'air est vif. Je réussis encore à l'entraîner quelquefois pour faire un peu d'exercice, mais je ne peux pas accomplir de miracle. Je crois qu'il faut absolument, et très vite, qu'elle fasse une cure et j'ai commencé à prospecter autour de moi, à donner des coups de fil, et j'ai trouvé quelque chose, un établissement très chic et très cher, très discret, à une heure de là, dans une vallée — certaines de mes connaissances auraient préféré mourir plutôt que

d'être soignées ailleurs. La somme à débourser donnait des sueurs froides mais en même temps, elle était rassurante.

Je la regarde puis je finis par sourire. « Amanda, nom de Dieu, tu as une mine épouvantable, m'esclaffé-je. Tu t'es littéralement traînée tout le long du chemin. »

Elle est à bout de souffle alors que nous n'avons franchi qu'une légère montée pour arriver jusqu'ici. Lorsque je prends conscience que je tiens sa main, je la relâche subitement.

« Il était là, il se tenait là sans bouger, dis-je en me tournant vers les bois.

— Oui, Daniel. Tu me l'as déjà dit.

— C'est mon parcours préféré. Admire cette vue. Écoute, il faut que nous parlions. Je veux dire de ton état. Je veux que tu m'écoutes. Tu ne tiendras pas jusqu'à la fin de l'hiver si tu ne fais rien. Alors j'ai pris rendez-vous.

— Daniel, tu n'as pas pris rendez-vous, a-t-elle grimacé.

— J'ai payé d'avance et c'est non remboursable, ai-je répondu. Ne me fais pas perdre cet argent. »

Je m'attends à ce qu'elle se mette à hurler, à m'invectiver, me frapper peut-être, or voilà que ses larmes commencent à couler, à courir sur ses joues.

« Tu as rendez-vous la semaine prochaine, dis-je en accueillant sa tête contre mon épaule. Je te conduirai. Je viendrai t'aider pour ta valise. »

À ces mots, elle m'embrasse avec fougue, fiévreusement — elle me coince contre un arbre, enfonce une jambe entre les miennes et je pense avec une certaine tendresse que ce sont là ses dernières cartouches — et je reçois avec joie sa langue dans ma bouche, son souffle sur mon visage. Quand elle a fini, nous reprenons notre chemin. Je passe alors un bras autour de sa taille pour la soutenir et nous clopinons l'un contre l'autre jusqu'à chez elle où je suis supposé la laisser, mais voilà, je ne sais pas ce qui nous prend, sans doute à la suite de ce baiser qui a éveillé nos sens, je monte et nous commençons dans l'ascenseur, nous nous empoignons avec frénésie, je m'arrange même pour la pénétrer avant l'ouverture des portes au dernier étage. Qui restent bloquées car Amanda vient d'actionner le bouton ad hoc, et nous voilà réduits à rien, à deux étudiants en rut, copulant comme de beaux diables dans une cabine tapissée de miroirs, possédés par l'urgence, par l'impérieux besoin sexuel inhérent à cet âge — cet âge béni.

Mais ainsi que je m'y attendais, elle termina notre séance absolument sur les genoux, ce formidable sursaut la laissa sans forces, couchée sur le ventre, inerte, peinant à lever un bras pour attraper une cigarette. C'était sans commentaires. Je commandai des repas mais elle s'était endormie quand ils arrivèrent et je la laissai dormir. Je mis un mot sur son plateau. Je lui disais que je ne la payais pas cette fois, que je pensais qu'elle comprendrait.

La nuit était tombée lorsque je rentrai à la maison. Walter avait invité quelques personnes autour d'un

verre — il y avait toujours une raison, mais le plus souvent, cette raison demeurait obscure, participait d'une stratégie complexe dont il était le seul à détenir la clé, à pouvoir mesurer la portée —, ça m'était totalement sorti de l'esprit. Il se précipite vers moi et m'aide à me débarrasser de mon manteau tout en me soufflant à l'oreille que le directeur de Sony et son épouse sont présents et souhaitent vivement me rencontrer depuis qu'ils ont assisté à l'un des concerts que j'ai donnés à Sydney. « N'hésite pas à leur faire du charme, me dit-il. Tu sais, je me méfie de Georges. Alors tenons-nous prêts.
— Quoi. Qu'y a-t-il. Qu'est-ce qui ne va pas encore.
— Quelque chose me dit que ça ne va pas être assez, Daniel. »
Nous sommes encore dans le hall, des visages sont à présent tournés vers nous, des sourires apparaissent. Je grimace un sourire à mon tour tout en pressant Walter d'en dire davantage.
« Comment ça, pas assez. Qu'est-ce qu'il a dit.
— Ils veulent des chansons qui mettent de bonne humeur, qui parlent du printemps, des fleurs, de la joie de vivre...
— Walter, ces types sont fous », grincé-je entre mes dents avant de me diriger mains tendues vers les autres. Mais je n'en ai pas encore fini avec les émotions de la journée. Dix minutes plus tard, j'ai à peine eu le temps de boire un verre, Rachel descend.
Nous nous connaissons plus ou moins tous, nous

connaissons tous les ragots, toutes les histoires qui courent sur le compte des uns et des autres et tous les yeux sont braqués sur le ventre de Rachel et chacun a en tête l'aventure qu'elle a eue avec un autre homme, et chacun sait compter et chacun peut raconter l'histoire du type confronté au retour de sa femme mise enceinte par un autre homme. D'aucuns doivent penser que je vais en tirer des chansons sublimes, mais j'en doute fort. Le sujet ne m'inspire pas du tout.
La soirée se termine. De mon studio, je regarde les invités sortir un par un, je regarde les voitures démarrer, je ne les entends guère — et ils ne me voient pas, je suis dans le noir, j'ai éteint dès que les premiers sont sortis. Rachel raccompagne les derniers — elle jette un rapide coup d'œil en direction du studio, se détourne aussitôt. Entre parenthèses, elle se débrouille bien. Sa canne lui est sacrément utile, et même indispensable maintenant qu'elle doit compter avec ce poids supplémentaire. Qui lui donne une silhouette affolante, à se pâmer, d'autant que je ne peux la toucher. J'ai un verre de gin à la main que j'avale par petites gorgées. Personne ne m'a demandé ce que ça faisait d'avoir une femme enceinte d'un autre homme, mais ils ont dû voir à mon air que c'est insupportable. Walter est le dernier à filer. Il ne jette pas un seul regard à sa sœur, il enfourche sa moto et démarre en trombe — ce qui est très mauvais pour son dos.
Mais c'est Rachel qui m'a donné le coup de grâce — son étrange, son imperceptible sourire, presque mau-

vais, tandis qu'elle me voyait à la torture mi-grimaçant mi-souriant devant nos connaissances, nos amis, devant le directeur de Sony et son épouse qui quant à elle m'avait félicité pour l'enfant qui allait naître et m'avait exhorté à devenir un bon père malgré les vicissitudes et le désenchantement que le métier d'artiste entraînait à coup sûr.

Il me semble qu'à nouveau ce sourire flotte sur les lèvres de Rachel tandis que les derniers feux s'éloignent sur la route. Elle s'attarde un instant dans la lumière du porche, et je baisse le front et je peste.

J'hésite à en parler à Walter. Je sais ce qu'il va répondre. Que je suis fou. Que Rachel est une folle furieuse. Qu'avec elle tout est possible. Inutile de chercher à savoir ce que Rachel mijote, selon lui. « On s'en fout, Daniel. Le problème n'est pas là. Le problème est que tu ne parviens pas à t'en dépêtrer. Avoue-le. Ta culpabilité te paralyse. Mais jusqu'à quand. Tu vas supporter ça jusqu'à quand. Daniel, qu'est-ce qu'on peut faire contre une femme comme ça. Tu t'es posé la question. »

Je serre les dents, je baisse la tête.

« C'est elle qui conduisait, reprend-il. Tu m'écoutes. C'est elle qui conduisait. Pas toi.

— C'est moi qui avais couché avec une autre.

— Mais qui roulait trop vite, dis-moi. Lequel de vous deux m'a foutu en l'air pour épargner ce foutu chevreuil qui traversait soi-disant la route. Tu étais à mille

kilomètres de là quand c'est arrivé, nom de Dieu, Daniel. Elle a toujours conduit comme une conne.
— J'étais à l'autre bout du fil. Je lui parlais. Oublie cette histoire de chevreuil.
— On ne conduit pas en utilisant son portable. Est-ce que tu le sais. Est-ce que ça ne te paraît pas logique. »
Nous avions eu cette conversation si souvent qu'elle s'usait. Les mots étaient toujours là mais le ton avait perdu de sa vigueur. En deux ans, la véhémence qui nous animait alors sur le sujet avait fondu comme de la glace. Mais les positions étaient restées les mêmes.
« Dis-lui qu'elle ne peut pas t'infliger une telle épreuve. Que tu ne peux pas faire comme si c'était ton enfant.
— Bien sûr que non. Je ne suis pas magicien.
— Mais tu crois que tu l'es. »
Nous nous sommes garés sur le parking ensoleillé de l'hôpital. Il était tendu, de mauvaise humeur, anxieux. Je frissonnai dans l'air glacé. On allait sans doute confirmer à Walter, récentes radios à l'appui, qu'une nouvelle opération était nécessaire et par avance, en son for intérieur, il bouillait de rage — c'était une intervention assez lourde, une épreuve qu'il pensait ne pas avoir méritée.
Lui aussi avait frôlé la mort, ce jour-là. Sa colonne vertébrale avait été abîmée et les réparations effectuées alors ne donnaient plus entière satisfaction aujourd'hui — un peu comme ces fameuses prothèses mammaires.
« Tu as quinze ans de moins que moi, Walter. Ça va aller. Tu as un cœur d'acier. »

Un accès de panique venait de le saisir au sortir de la visite et je l'ai tenu un instant contre moi tandis que ses jambes flageolaient sur l'asphalte.
Certaines complications pouvaient survenir. On nous avait expliqué qu'il y avait toujours un risque lorsqu'on intervenait sur la colonne vertébrale, qu'il était inutile de le nier, mais le cas de Walter exigeait que ce risque fût pris. « Sinon la maison va s'écrouler », avait déclaré le chirurgien qui semblait satisfait de l'image dont il nous gratifiait aimablement. « C'est une question de charpente », avait-il ajouté.
J'ai soutenu Walter un moment sur le parking, attendant qu'il se ressaisisse, qu'il cesse de trembler — priant à part moi pour qu'il n'y ait pas de paparazzi dans les parages, sans quoi notre compte était bon.
« Je préfère que tu me tues. Promets-le-moi, a-t-il gémi.
— D'accord. Tu as une préférence.
— Merde, je ne veux pas finir paralysé. Je ne veux pas me retrouver dans un fauteuil roulant.
— Pourtant, ils en font des bien. »
Il s'accroche à moi, il me dit qu'il est mort de peur. Il veut savoir s'il peut compter sur mon aide. Je lui caresse la nuque. Lui aussi marche avec une canne, à présent — preuve que son état ne s'arrange pas et qu'il n'y a pas d'alternative.
« Je ne veux pas que tu en parles à Rachel, me dit-il.
— Ça ne restera pas secret très longtemps.
— Je veux que tu n'en parles à personne. »
J'opine. Je hoche la tête. Je l'invite à déjeuner.

Nous avalons quelques filets de poisson cru avec un verre de vin blanc. Pour le distraire, je lui donne des nouvelles d'Amanda qui est entrée hier en cure, je lui dis combien elle m'a fendu le cœur quand on l'a conduite à sa chambre et qu'elle s'est tournée vers moi, honteuse, misérable et fragile, esquissant un sourire dramatique tandis que je restais planté dans le hall, baissant les yeux, impuissant, une main levée en l'air.
« Amanda est une cause perdue », me dit-il.
J'avais le sentiment qu'il en était une lui aussi, comme vous, comme moi, comme nous tous. Je regardai par-dessus son épaule. Dehors, le froid persistait et le ciel se couvrait un peu. La végétation n'était pas encore repartie, du moins rien qui soit visible, les bois alentour étaient comme une armée de squelettes gris, les oiseaux volaient bas, le lac semblait noir la plupart du temps — son odeur persistait dans l'air glacé.
« Elle est mal en point, dis-je. Elle doit être en train de se cogner la tête contre les murs, de gémir, de trembler comme une feuille. Les premiers jours sont les plus durs. J'irai la voir quand elle ira mieux. Dans quelques jours. Il faut que je travaille. Ce n'est pas aussi simple. Ce n'est pas aussi facile que ça en a l'air. Il faut que je parle à Georges. »
Je demande l'addition.
« Ne te bagarre pas avec lui, me dit-il. Ça ne sert à rien. C'est même contre-productif. »
Je me contente d'opiner.

La nuit commençait à tomber lorsque je traversai le jardin en direction de la maison. Il soufflait de nouveau un vent assez fort, qui sentait le champignon. Je venais prendre un bain — je ne disposais pas de baignoire dans le studio et j'avais travaillé durant des heures, j'avais besoin de me détendre.
J'avertis Rachel en passant que je montais à la salle de bains. Je n'attendais plus qu'elle me fasse la conversation depuis qu'elle me soupçonnait d'avoir provoqué intentionnellement la mort de son amant — du père de son enfant, rectifiait-elle sur-le-champ depuis qu'il n'était plus de ce monde. Nos rapports n'étaient pas glacés, mais ils étaient froids, nous n'échangions guère plus de quelques mots durant la journée. Je comptais que les choses s'arrangent avec le retour du printemps, avec un ensoleillement plus long, mais je m'attendais cependant à subir quelques mois assez durs. Je n'avais pas besoin de ça mais je l'acceptais. Je ne discutais pas. Je pariais sur le long terme.
L'absence d'Amanda ne me facilitait pas les choses, je considérais la situation d'un œil sombre. Je poussai la porte. Le parfum de Rachel, aussi discret qu'il fût, réimprégnait désormais les lieux. Des sous-vêtements séchaient tranquillement sur un radiateur Acova laqué bleu. Je me déshabillai. J'ouvris tous les robinets et laissai couler l'eau chaude jusqu'à obtenir un léger nuage de vapeur, essentiellement pour l'ambiance — l'éclairage fonctionnait avec un variateur que j'avais largement utilisé autrefois quand j'attrapais Rachel dans

mes filets avec une facilité déconcertante et la renversais sur le tapis de bain antidérapant en pur caoutchouc qui nous accompagnait de ses bruits étranges au point qu'aujourd'hui, quand je parviens du pied à les reproduire plus ou moins en l'écrasant, en le tordant, en le vrillant du talon, ils m'émeuvent et sont capables de me faire avoir une érection à eux seuls, ces grognements lascifs, ces couinements, ces gémissements moites, ce damné chant de gorets débauchés qu'ils me jouent.
J'enfilai un slip de Rachel et commençai à me masturber tandis que j'en prenais un autre pour me couvrir le nez. L'affaire ne devait prendre que quelques minutes car j'étais concentré et déjà dressé sur mes pieds pour atteindre le centre du lavabo sans grand risque.
C'est alors que Rachel ouvre la porte. Ce n'est pas elle qui pousse un cri, c'est moi. Sans s'annoncer, sans frapper, elle ouvre en grand. Je blêmis. Je bondis aussitôt en arrière, me plie en deux pour soustraire l'objet de ma confusion à son regard, mais je sais qu'elle a tout enregistré, je sais qu'elle m'a vu — ayant enfilé l'un de ses slips, comprimant un autre contre ma figure comme je l'aurais fait d'un masque à oxygène — et mon humiliation est à son comble.
J'attrape une serviette d'un geste rageur, m'en ceins la taille. Je donne un coup de poing contre le mur. Elle reste immobile dans l'encadrement de la porte, un sourire semi-narquois au coin des lèvres.
« Cesse de jurer », me dit-elle. Je ne m'étais même pas aperçu que je jurais. « Cesse de jurer, Daniel, et retire

mon slip avant de l'agrandir. » Je ferme les yeux, je serre les dents. « Tu as besoin de toute cette buée », fait-elle encore avant de tourner les talons.
Je n'avais pas pris garde à elle. Voilà où nous en étions. Je l'avais ignorée. À force d'écourter nos tête-à-tête, de laisser les liens se distendre, nous finissions par habiter des mondes parallèles, au sens propre du terme, qui ne se rencontraient plus jamais, ou si peu, de façon si superficielle que je ne pouvais un instant imaginer qu'elle ferait irruption dans la salle de bains sachant que je m'y trouvais. Cela aurait supposé une certaine intimité, une certaine relation entre nous, une certaine *reconnaissance.* Mais depuis que j'avais tué le père de son enfant, depuis que j'avais commis cette horreur irréparable, une telle proximité ne pouvait advenir. Elle était pourtant advenue. Son poing était passé au travers de nos enveloppes et m'avait frappé au plexus.
J'avais débandé rapidement, je m'étais épongé. Je m'étais assis un moment sur le rebord de la baignoire et j'avais médité sur mon sort, sur le moyen de me sortir dignement de ce triste épisode. Il n'y avait pas de moyen possible, je l'ai rapidement découvert.
J'allais devoir affronter ça. Les sarcasmes de Rachel. Je regrettais de lui avoir emprunté ses sous-vêtements car c'était leur présence qui me condamnait — cette maudite culotte à pois dont je m'étais accoutré —, qui donnait chair au personnage dégoûtant et ridicule que j'avais incarné devant elle.
Rachel n'était pas la seule femme à m'avoir fait souffrir

mais elle était la plus féroce, la plus acharnée, et je ne pensais pas qu'elle m'épargnerait si elle estimait que j'avais tué le père de son enfant. J'avais envie de filer directement dans mon studio en sortant par-derrière et de m'y enfermer jusqu'au lendemain. Il me semblait qu'une douzaine d'heures de distance pouvait apaiser les esprits, dispenser d'une confrontation brutale qui risquait de ne pas tourner en ma faveur — bien que Rachel fût loin d'être une sainte de son côté — si nous l'engagions sur-le-champ, sans le moindre recul.

J'étais contrarié de lui avoir concédé une sorte d'avantage à un moment critique de notre relation, ma position s'en trouvait affaiblie, ma dignité en avait souffert. Je ruminais mon désappointement tout en me rhabillant. Je pouvais écrire quelque chose sur ce thème, par exemple sur le fait que nous ne sommes que les marionnettes de nos désirs ou que le sexe rend fou, mais ce n'était pas ce que Georges espérait de moi en ce moment.

Elle m'attendait dans le couloir. Je pouvais également écrire sur les femmes impitoyables, sur les brûlures de l'amour-propre, sur le sentiment d'impuissance. Je m'arrêtai net, je pris un air sombre et renfrogné. Pas elle.

« Tu ne couches plus avec ton amie », me demande-t-elle.

Elle est adossée au mur. Elle a le chic pour me désarçonner. Par la fenêtre du fond, j'aperçois quelques étoiles. Je réfléchis à la réponse que je vais lui donner,

mais elle reprend — de cet air incroyablement aimable qu'elle affiche depuis une minute à ma grande surprise : « Est-ce que c'est si difficile.
— Écoute, je ne suis pas sûr d'avoir envie d'en parler. »
Je m'avance mais elle tend sa canne en travers de mon chemin pour m'empêcher de passer. Je connais ce regard. Mais il semble si improbable que le toit de la maison va sans doute s'effondrer sur ma tête.
« C'est de ma faute, dit-elle. Pardonne-moi.
— Rachel, de quoi parles-tu. Arrête.
— De ta frustration, Daniel. De l'état de frustration dans lequel je t'ai mis. »
Je reste interdit.
« Mais cette situation, dit-elle. Tous ces bouleversements. J'étais si préoccupée, si repliée sur moi-même, enfin j'espère que tu ne m'en veux pas trop. »
Je secoue la tête. Je ne la regarde pas dans les yeux. J'aperçois la lune qui se lève au bout du couloir. « J'ai lavé tes sous-vêtements et les ai remis à sécher », ai-je envie de lui dire mais je sais que je n'y parviendrai pas.
« Daniel, les choses sont devenues très claires, tout à coup. Je reprends pied. Je suis là, maintenant. Écoute, je suis au courant pour Amanda. Je sais le mal que tu te donnes pour elle. Ce qui arrive est de ma faute. J'ai compris que j'allais finir par te perdre une seconde fois si je ne faisais rien. »
Elle fait allusion à cette femme avec laquelle j'ai autrefois couché. Rachel était persuadée que je l'avais

trompée en raison des cours de méditation transcendantale qu'elle enchaînait presque jour après jour lorsqu'elle était en phase de totale immersion avec son instructeur, mais elle faisait erreur. Je ne m'étais pas senti délaissé, ignoré, ou écarté de quoi que ce soit. Je n'avais acquis aucun droit. En fait, j'aurais couché avec cette femme de toute façon, sans avoir besoin de raison particulière — mais Rachel devait penser que cette absence d'explication était encore pire que tout et elle préférait s'appuyer sur du solide.

« J'ai raison, n'est-ce pas. Si je ne fais rien, il sera bientôt trop tard. C'est évident, non.

— J'ai lavé tes affaires et les ai remises à sécher », m'entendis-je déclarer.

Mon esprit semblait vouloir cesser de fonctionner. Je regardais ailleurs car je n'étais plus capable de prononcer un mot. Je ne pouvais rien faire d'autre que prier pour qu'elle ne s'aperçût pas du désordre qu'elle provoquait en moi, du désir qui renaissait violemment à présent dans la pénombre du couloir après la mise en condition dont je m'étais fendu sans méfiance. Je ne savais pas à quoi je devais une telle envie de jouir en elle. Après l'accident, j'étais tombé à genoux devant ce corps meurtri, devant ces tendres boursouflures qui couraient jusqu'à l'intérieur de ses cuisses et glissaient sous mes lèvres comme des macaronis al dente, bref tout ça ne manquait pas d'attrait pour moi, et voilà qu'aujourd'hui elle se présentait avec ce ventre rond du plus parfait effet, que je considérais d'un œil torve, d'autant que cet enfant n'était pas le mien.

Je ne sais pas, je ne peux pas l'expliquer, mais il se trouve que je ne l'ai jamais autant désirée, et pourtant, ce n'est pas une première, nous l'avons fait un millier de fois au bas mot, alors quoi. Je suis capable de la déshabiller d'un seul regard, aujourd'hui plus que jamais. Je peux projeter dans mon cerveau l'odeur de son corps. Amanda, par exemple, malgré tout le plaisir qu'elle m'a procuré ces derniers mois — j'en profite ici pour lui rendre hommage, elle le mérite —, n'a jamais produit un tel envoûtement sur mon esprit — pourtant Dieu sait si parfois j'ai grimpé l'escalier quatre à quatre, sachant qu'elle m'attendait à demi nue dans sa chambre. Mais non, la comparaison est impossible. Je suis capable de tomber à quatre pattes, comme un chien, aux pieds de Rachel. C'est ainsi. Je n'y peux rien. Seuls ceux qui connaissent la puissance dévastatrice de ce désir-là savent de quoi je veux parler. Comme l'on est littéralement cloué au mur, crucifié — animé des plus mauvaises, répréhensibles intentions, torturé par le moindre effleurement, le moindre souffle.

« Cessons de nous conduire comme des enfants, dit-elle.

— Parfait. Buvons un verre.

— Je n'ai pas envie de boire un verre, Daniel. »

Je vacillai, j'étais totalement à côté de la plaque. Je m'appuyai au mur de façon désinvolte. C'était la

meilleure attitude, me disais-je, se mettre en position de voir venir. Ne pas se réjouir trop vite. Pas avant d'être sûr. Pas avant d'avoir vérifié qu'on n'avait pas la berlue, que c'était bien ce qu'elle voulait.
J'attendis qu'elle fasse le premier pas. Nous n'avions pas eu de vrai rapport sexuel depuis l'accident et ce qui se profilait de façon ahurissante, qui relevait du rêve quasi absolu, revêtait un côté un peu solennel, comme si nous allions être décorés. Il s'agissait d'une trentaine de mois d'abstinence entre nous. Je me tenais bien droit. Je ne souhaitais enrayer d'aucune manière le mécanisme qui s'était mis en marche — plutôt mourir sur place, me disais-je.
« Eh bien, qu'est-ce que tu fais, m'interrogea-t-elle. Tu n'as donc plus envie. »
Je m'ébrouai. Nous entrâmes dans la chambre. Elle se laissa tomber de tout son long sur le lit.
« Alors, c'est donc revenu, demandai-je en m'asseyant à côté d'elle face au mur. Ce fameux désir. Enfin là. Mais Rachel, c'est un miracle. Je n'y croyais plus.
— Ça m'a pris du temps. Bien sûr. Je sais. J'espère que tu as compris que ce n'était pas facile pour moi. Ça m'a pris du temps. Je ne pouvais pas moralement l'accepter, je ne pouvais pas l'affronter, alors je l'étouffais au fond de moi, je le repoussais. Tu vois le genre. »
J'acquiesçai. Je posai une main sur sa cuisse et fermai les yeux. Elle portait son pyjama en pilou couleur sable. Lorsque je les rouvris, je compris qu'il n'allait rien m'arriver de désagréable et je me tournai vers elle.

J'hésitai encore un instant, le cœur battant, puis j'avançai la main, et avec précaution, après qu'elle eut aimablement écarté les jambes, je lui caressai la fente à travers l'étoffe — c'était bon de refaire connaissance, de la sentir mouiller, de l'explorer —, et de l'autre main, je me pinçais — sinon comment m'assurer que je n'étais pas l'objet d'une pure hallucination. Néanmoins, et contre toute attente, je me levai aussitôt. « Donne-moi une seconde, je reviens », lui soufflai-je à l'oreille.
Sans hésiter davantage, je bondis dehors. La nuit était d'une noirceur étincelante, l'air vif et froid comme une lame, le gazon comme un tapis sous mes pas. J'osais à peine y croire. Je me sentais d'une humeur exceptionnelle. J'étais persuadé que si nous recommencions à coucher ensemble, les choses iraient en s'arrangeant, nous pourrions enfin tourner la page. Il me restait un peu de sildénafil et j'avais une bouteille de Hendrick's à demi pleine dans un tiroir.
Je m'arrêtai au milieu du jardin pour respirer. De la pure soie emplissait mes poumons. C'était d'une douceur exquise. Et je fus pris en même temps d'une incoercible envie de fumer, d'une envie si impérieuse que je tâtai mes poches, saisi d'une légère panique, mais je tombai sur des Camel et je trouvai même du feu. J'avais laissé de la lumière dans le studio et on aurait dit un engin sur le point de s'envoler ou un scaphandre sombré au fond des mers. Je craquai l'allumette d'une pochette en carton dont il est conseillé de refermer la languette avant la

mise à feu — et pourquoi ne pas non plus se munir d'un seau d'eau ou se tenir près du tuyau d'arrosage ou s'enrouler dans une couverture.

Je poussai un gémissement de plaisir à la première bouffée. Je titubais presque de bonheur dans le noir tandis que la nicotine me montait droit au cerveau. On dit qu'un bonheur n'arrive jamais seul et j'en avais ici l'absolue confirmation. Quoi qu'il en soit, quelle joie, quelle journée à marquer d'une pierre blanche. Quelle nuit magnifique s'étendait autour de moi, quel merveilleux silence. Je ne ressentais aucun froid. Je tapais du pied, sans doute, mais cela s'apparentait davantage à une danse, à un rythme joyeux, qu'à une simple façon de se dégourdir les orteils par –10. Un oiseau a croassé dans les arbres. J'ai eu envie — subitement, je ne sais pourquoi — d'écrire une chanson qui dirait : *Tout se meurt / Tout n'est qu'illusion /* et j'ai pensé à la tête que ferait Georges, à son ahurissement, et j'ai eu doublement envie de l'écrire.

Ignorant la main avec laquelle je m'étais pincé — avec laquelle d'ailleurs j'étais en train de fumer —, j'ai porté les doigts de l'autre à mes narines et suis resté une bonne minute les yeux mi-clos, presque flottant de bien-être dans la nuit froide, puis j'ai éteint ma cigarette et me suis activé, j'ai rassemblé alcool, crèmes et pilules, et aussi emporté un sac de vieux vêtements que j'avais gardés après son départ. Je retraversai le jardin dans l'autre sens, mais en courant, cette fois. Je sautai dans l'escalier — conscient que j'avais joué avec le feu en abandonnant Rachel à un moment décisif, mais aussi que j'avais pris un vif plaisir à repousser l'instant de notre étreinte, à tenir notre délivrance hors de portée le temps d'une cigarette. J'ai regretté assez souvent d'avoir joué à ce petit jeu depuis mon adolescence — depuis le jour où une fille a plongé ses yeux dans les miens, à vrai dire —, mais qu'importe le désagrément de passer pour un type un peu tordu ou compliqué au-delà du raisonnable si parfois la chance est au rendez-vous — l'attente, la retenue, la rétention ayant porté l'excitation à son comble. J'ai retrouvé des chambres vides, quelquefois, découvert des mots sur la table, des cigarettes encore fumantes, des lits désertés, mais si la personne m'avait attendu, si elle avait marché de long en large en se pressant les seins, en se frottant les cuisses, en psalmodiant d'une voix rauque de drôles de mots, je pouvais être sûr que nous allions nous entendre et passer ensemble un quart d'heure que nous n'oublierions pas de sitôt.

J'avais écrit quelques-unes de mes meilleures chansons en pensant à ces femmes qui avaient traversé ma vie et l'avaient illuminée d'une manière ou d'une autre. Elles l'avaient doublement illuminée. J'avais gagné beaucoup d'argent grâce à elles, grâce à la marque qu'elles avaient imprimée dans mon cœur. Et Georges en avait gagné beaucoup lui aussi, par la même occasion, et c'était ce qui me rendait furieux après lui, qu'il feignît l'avoir oublié, qu'il feignît ne pas savoir à qui il devait tout cet argent qui avait empli ses poches au fil des années.

Bref, Rachel m'avait attendu. Elle avait ôté son pantalon de pyjama, elle n'avait gardé que le haut, déboutonné. Elle était fantastique, ses seins avaient doublé de volume, son ventre était tendu comme une outre en peau de bique, son sexe luisait comme du blanc de poulet cru.

J'avalai une pilule. « Buvons un verre », dis-je. Elle se dressa sur ses coudes. Resta bouche ouverte tandis que je pressais des oranges à la main.

« J'espère que tu admires ma force de caractère », ajoutai-je en préparant nos deux verres d'un tour de main mais sans quitter son corps des yeux.

Elle m'adressa un sourire. « J'espère que la lumière te convient », me dit-elle. Je jetai un coup d'œil autour de moi en hochant la tête, souriant à mon tour — alors que mon esprit concentrait toute son attention sur la douceâtre odeur de fluides corporels qui s'installait autour de nous. « Ça me semble parfait », déclarai-je en levant mon verre — dans lequel j'avais ajouté du gin.

Nous bûmes en silence, nous souriant franchement à présent. Riant même sans avoir besoin d'échanger un mot — comme deux vieux complices d'une bonne blague. Je n'étais pas sûr que nous nous réjouissions pour les mêmes raisons, mais il subsistait par-devers tout, fruit de longues années de vie commune, une certaine dose de connivence entre nous et cette dose n'était pas négligeable, eût-elle été ignorée au cours de ces derniers mois, eût-elle été bafouée.

Au petit matin, je regagnai mon studio une serviette sur la tête, enroulé dans un chaud peignoir de bain. Ce n'était pas le moment d'attraper froid car Walter allait entrer à l'hôpital à son tour et j'avais promis d'être là, de lui rendre chaque jour visite, éventuellement de lui tenir la main. Un léger brouillard était descendu au cours de la nuit. J'avais aussi quelques concerts à donner et je savais comme un coup de froid était vite arrivé, je savais quelles précautions étaient à prendre et pour moi rien n'était pire que les cheveux mouillés. J'avais aidé Rachel à changer les draps que nous avions trempés de sueur et lui avais laissé la salle de bains de bonne grâce.

J'étais proprement éreinté. Satisfait mais trébuchant dans le jardin dont le sol était encore gelé. J'avais besoin d'être seul, de dormir quelques heures mais aussi de réfléchir à la situation. De me sécher les cheveux, également. Je n'en aurais pas misé un seul sur nos chances de reformer un couple digne de ce nom, Rachel et moi, mais personne ne nous demandait d'essayer, après tout. Aujourd'hui, les bêtes curieuses étaient celles et ceux qui restaient mariés.

Je n'avais enregistré aucun malaise, aucune retenue de la part de Rachel au cours des exercices qui n'avaient pris fin qu'à l'aube — j'étais décidément très content des nouvelles pilules que me fournissait mon

pharmacien qui les utilisait lui aussi, de même que sa femme qui pour ainsi dire m'adorait et collectionnait mes albums de l'époque où j'étais un jeune homme gominé jusqu'à aujourd'hui.
Je savais que Rachel me cachait quelque chose. Je savais qu'elle n'avait pas simplement succombé à mes charmes mais j'avais abandonné depuis longtemps le besoin de la comprendre — comme de comprendre n'importe qui d'autre, pour être franc. C'était une perte de temps, l'assurance de ne jamais venir à bout du problème, de ne jamais voir ses efforts couronnés de succès.
Je refermai la lourde porte de mon studio derrière moi. Je me laissai tomber dans un fauteuil. Je ne prenais pas encore très bien la mesure de ce qui était arrivé, mais quoi qu'il en soit, sexuellement parlant, on pouvait se flatter d'une grande réussite. D'un grand bonheur. À tel point que j'avais emporté le reste de gin avec moi afin de m'offrir un verre dans l'aube à peine naissante et accessoirement attendre que mon érection prenne fin pour de bon — ces pilules étaient bien mais la redescente était longue et la glace une torture à laquelle je ne parvenais pas à m'habituer.
Les premières lueurs du jour s'infiltraient entre les arbres mais je profitais encore de la pénombre silencieuse du studio — à peine éclairé par l'écran de mon portable où rebondissait une balle encore et encore. Je ne savais pas ce que cherchait Rachel, les possibilités étaient infinies et l'enfant qui allait naître venait com-

pliquer l'histoire. Qu'attendait-elle réellement de moi. Quel but poursuivait-elle. Le pire était que je me sentais prêt à supporter beaucoup de choses si elle acceptait de se donner à moi, de coucher de nouveau avec moi, de faire de nouveau de moi son partenaire sexuel et reconnaissant, je n'exigeais rien d'autre, le reste m'était égal. Si j'avais pu parfois m'interroger sur la formidable patience dont je faisais preuve — j'avais tenu durant des mois, j'avais tenu plus longtemps qu'auraient tenu la plupart des hommes sains d'esprit —, je mesurais ce qui avait été en jeu à présent, je mesurais à quel point ma persévérance avait été fondée, à quel point, une fois de plus, l'attente était récompensée.

Pour retrouver une telle intensité au cœur de nos ébats, je devais remonter très loin, au moins aux premières années de notre union, et même là j'hésitais. J'avais affaire à des souvenirs anciens, sans doute auréolés, embellis par la distance et le désir. Je me posais la question. Se pouvait-il que nous eussions, cette fois, franchi un nouveau seuil dans la qualité de nos pratiques, toutes époques confondues. À mesure que j'admettais cette possibilité se profilait une ombre qui requérait tout mon sang-froid : et si, me disais-je, un autre l'avait mieux aguerrie, si je bénéficiais aujourd'hui de l'enseignement qu'elle tirait de son expérience extraconjugale. Ou était-ce le fait d'être enceinte qui la mettait dans cet état.

Je tenais le Hendrick's pour le meilleur gin du monde et de fil en aiguille, je terminais la bouteille tandis que

le soleil pointait à l'horizon et forçait à baisser les paupières pour éviter l'éblouissement, etc., de son fatal rayon, etc.
Je tombai alors de ma chaise. Je basculai et m'étalai sur le plancher, où je restai sans bouger, paralysé, incapable de remuer un petit doigt ou de lancer un appel à l'aide. Dans la position où j'étais tombé, une joue écrasée sur le parquet ciré. La fenêtre de la chambre était dans mon champ de vision, au premier étage de la maison, orientée à l'ouest, la lumière y brillait encore. J'éprouvais une sensation très étrange, comme d'appartenir en même temps à deux mondes différents. Je me suis demandé si je m'étais assommé, mais ce n'était pas ça. J'ai pensé que j'allais avoir froid et qu'on allait me retrouver mort au matin. C'était sans doute ces damnées pilules, mélangées à l'alcool. J'avais pris quelques acides autrefois et l'état dans lequel je me trouvais actuellement y ressemblait beaucoup. Un instant, j'aperçus Rachel derrière les rideaux, son ombre noire, furtive, et lorsque je repensais à la façon dont elle s'était offerte jusqu'au petit matin, au total abandon dont elle avait fait preuve toute la nuit, je ne pouvais pas imaginer une seule minute qu'elle eût feint son plaisir, qu'elle eût joué la comédie, je ne voulais plus avoir l'esprit aussi mal placé, systématiquement méfiant, systématiquement incapable de voir le bien. J'avais passé le plus clair de ma vie à mettre tout en doute, à ne jamais croire. Je voulais en finir avec cette attitude. M'ouvrir à autre chose. Je voulais extirper l'incrédule qui habitait

mon corps, celui qui soupçonnait tout, celui qui affublait les autres de ses propres faiblesses.

Elle avait eu des expressions qui ne trompaient pas, s'était maintes fois mordu les lèvres, m'avait presque arraché une touffe de cheveux en s'arc-boutant contre le dossier du lit. Pourquoi aurait-elle joué la comédie. Mon corps était entièrement paralysé, je ne pouvais même pas cligner des yeux, mais mon esprit fonctionnait normalement.

À présent, elle dormait sans doute, la brume s'était levée et j'entendis le moteur de la Norton dans l'allée. Je me sentais déjà mieux. Ce n'était pas la première fois qu'un mélange alcool / médicaments me jouait un semblable tour et j'estimai que le plus fort de la crise était passé. Walter m'aida à me relever, m'annonça que je puais l'alcool et, tournant son regard vers la maison, me demanda s'il y avait eu un drame entre sa sœur et moi ou quoi que ce soit de si éprouvant qui justifiât l'état dans lequel je me trouvais.

« Au contraire, dis-je. Tiens-toi bien, Walter. »

Je pouvais lui parler librement, il était une sorte de jeune frère pour moi. Je le mis au courant des événements de la nuit, je ne lui cachai rien de la nature inattendue et brûlante des rapports que Rachel et moi avions eus pour finir, ne me souciant guère de la légère grimace qu'il affichait à mesure que je me révélais ravi par l'expérience et impatient de la reconduire.

Je n'avais pas eu ce genre de crise depuis la mort de mes parents, bien des années plus tôt, et ni Walter ni

Rachel n'avaient jamais entendu parler de cataplexie — ni moi non plus d'ailleurs, avant de tomber foudroyé, telle une poupée de chiffon, au pied des deux cercueils à l'instant où l'on ouvrait le four —, de sorte que je laissai Walter s'inquiéter de la dose d'alcool que j'avais avalée avec mes pilules avant de tomber raide mort plutôt que de me lancer dans des révélations sans intérêt. Je n'avais pas éprouvé le besoin d'en parler, ça ne m'avait pas effleuré jusque-là, et d'ailleurs tout semblait oublié, je n'y pensais pratiquement plus. Jusqu'à ce jour. Je savais que j'étais sensible aux grandes émotions, mais je ne me suis pas méfié, je n'imaginais pas que recoucher avec ma femme prendrait de telles proportions.

Je lui demandai de faire du café tandis que je chancelais vaguement vers le lavabo pour me jeter de l'eau sur la figure. « Votre histoire est lamentable, me lança-t-il tandis que je m'aspergeais d'eau glacée. Franchement, c'est n'importe quoi, Daniel, c'est carrément pathétique, votre histoire. Vous remettre ensemble, vous avez fait ça, nom de Dieu. Vous avez osé faire ça. Non, mais je rêve.

— Mais qu'est-ce que tu racontes, Walter. C'est ma femme. De quoi te mêles-tu, hein. Tu n'aimes pas voir ça. Tu n'aimes pas voir les choses rentrer dans l'ordre. Tu n'en as pas assez de ce chaos. »

Il ne me répond pas. Il baisse la tête.

« Ils m'ont donné un rendez-vous pour la semaine prochaine, me dit-il.

— Écoute-moi. Ne te fais pas de souci. Je serai là. »
Je le serre un instant dans mes bras. Mais pas trop. Je le sens d'humeur sentimentale ces derniers temps.
« Mais pas elle, Daniel. Promets-moi de l'empêcher de venir me voir. Promets-le-moi.
— Walter, ne me demande pas...
— *Promets-le-moi*, me hurle-t-il aux oreilles. *Donne-moi ta parole, Daniel.* »
Je ne savais vraiment pas si je parviendrais un jour à les réconcilier, je ne constatais pas le moindre progrès de ce côté-là, et surtout du côté de Walter.
« Ne t'attends pas à quoi que ce soit, me dit-il. Ne t'attends pas à quoi que ce soit de ma part. Ça ne change rien, pour moi. Que tu couches de nouveau avec elle ne change strictement rien. Qu'est-ce que tu veux que ça me foute. C'est toi que ça regarde. Je ne vais pas tomber dans ses bras parce que tu la sautes. N'attends pas ça de moi, d'accord. »
J'y comptais un peu, autant l'avouer. J'avais espéré qu'il se montrerait plus clément, mais je constatais que les choses étaient bien plus profondément enfouies que je ne le pensais, peut-être même plongeaient-elles dans l'enfance et s'y cramponnaient-elles de leurs puissantes griffes — si c'était le cas, ils ne m'en avaient jamais rien dit. Quoi qu'il en soit, elle lui avait rompu les os et la perspective de se faire de nouveau opérer, d'endurer cette épreuve parce qu'elle conduisait comme une débile mentale d'après lui, faisait renaître la rage sombre qu'il avait éprouvée en se réveillant à l'hôpital

après l'accident, apprenant qu'il allait devoir être immobilisé, enfermé dans un sarcophage de plâtre pendant un mois, peut-être estropié à vie — *parce que cette conne téléphonait en conduisant*, hurlait-il en pleurant de douleur lorsque les médicaments ne faisaient plus effet, *parce que cette conne conduisait d'une seule main. J'en peux plus.*

C'était Walter qui nous avait présentés une vingtaine d'années plus tôt, à l'époque où ma carrière était déjà lancée et qu'il faisait un stage d'été dans le bureau de Georges. J'avais vite repéré ce jeune type discret, sympathique, efficace, et je l'avais pris à mon service, je l'avais engagé comme secrétaire et un matin il était arrivé avec une superbe brune dont j'étais tombé amoureux sur-le-champ — et que je ne quittais plus des yeux, m'avait-il bientôt reproché quand il s'était avéré que je devenais de moins en moins disponible pour nos sorties nocturnes.

Ils se chicanaient souvent à mon propos, se disputaient ma compagnie — si j'avais été en papier, ils m'auraient déchiré en deux — et c'était une source d'amusement pour moi, de satisfaction de me trouver l'objet de leur convoitise. Mon ego était bien plus développé alors, des filles dormaient devant ma chambre dans les couloirs des hôtels, j'étais célébré, des hommes plus âgés se courbaient devant moi — et je ne parle pas des plus jeunes —, mes concerts étaient pleins des mois à l'avance, j'étais entouré de gens dévoués, attentifs, obséquieux, mais je remercie le ciel d'avoir mis ces

deux êtres sur ma route. Qu'ils m'aient gardé les pieds sur terre au cours des années qui ont suivi, m'aient gardé la tête hors de l'eau.
Walter boit son café et m'observe d'un air indéchiffrable. Je repense à toutes ces années où nous avons essayé d'avoir un enfant, Rachel et moi, et comme tout aurait été différent et combien d'obstacles auraient été évités, combien de douleur, de chagrins épargnés.

Amanda fait peur à voir. Je lui dis qu'elle semble en pleine forme. Nous nous installons dans la salle de restaurant où tout le monde parle à voix basse. Le prix de la cure est exorbitant mais le service est irréprochable et la directrice de l'établissement en personne vient bavarder un instant avec nous. Elle envisage de s'acheter une voiture électrique et voudrait connaître mon avis. Je pense qu'elle essaie de me draguer un peu, elle se penche un peu trop sur moi ou pose un peu trop sa main sur mon bras comme si nous étions de vieilles connaissances — elle dit posséder tous mes albums, ainsi que divers enregistrements pirates de mes concerts —, mais je ne peux guère lui accorder qu'un pâle sourire quand je considère le spectre assis à ses côtés, cette caricature d'Amanda qu'un courant d'air pourrait emporter ou vaporiser à travers la salle.
Je remercie la directrice pour son accueil, lui promets d'étudier les différentes prolongations de séjour qu'elle me soumet, qui souvent se révèlent indispensables, qu'elle propose toujours car c'est une sécurité, un plus

pour le rétablissement de ses pensionnaires, et elle me rappelle qu'elle accepte tous les modes de paiement sauf American Express, qu'elle prend éventuellement le franc suisse et le dollar, mais qu'elle ne le conseille pas à des amis, sinon pour rendre service.

Amanda déclare soudain qu'elle n'a pas faim. Elle se lève et traverse la salle.

« Votre amie, me dit la directrice, je crois que vous devriez me la laisser pendant un moment.

— De quoi voulez-vous parler, fais-je en jetant un coup d'œil sur le dépliant de la clinique. Du forfait numéro trois avec thalasso. Vraiment.

— Au moins. Numéro trois, au moins. Mais j'ai peur que ce ne soit pas suffisant. Je le crains. Enfin c'est vous qui voyez. Vous savez, j'avais seize ans lorsque je vous ai entendu la première fois et j'ai adoré, je ne sais pas comment vous le dire autrement, mais j'ai adoré. Je voulais que vous le sachiez.

— Elle vous inquiète spécialement.

— Non, elle m'inquiète un peu, c'est tout. C'est une impression. Attendons la fin de la semaine prochaine, ensuite nous aviserons. Vous savez ce qui me ferait plaisir. Une photo de vous dédicacée.

— Très bien. J'ai également un tee-shirt avec les dates de ma tournée en Asie du Sud-Est. Je vous l'offre. »

Je rejoins Amanda dans le jardin d'hiver. Nous trouvons deux chaises longues à l'écart. J'ai bien fait de lui apporter une cartouche de cigarettes car on dirait qu'elle fume sans discontinuer. « N'essaye pas de

m'empêcher de fumer, grogne-t-elle en me lançant un regard farouche. Ça va comme ça. Tu en as assez fait. »
Je ne réponds rien. Je reste allongé près d'elle. Il fait bon sous la verrière. Le visage baigné de lumière, je ferme les yeux. Je meurs d'envie de lui parler de ma séance avec Rachel mais je décide de tenir ma langue. La nuit est encore loin. Mais je ne parviens pas à me concentrer sur autre chose. Tout mon esprit est occupé par Rachel à cet instant, tout mon être est tendu vers elle, mais c'est la main d'Amanda qui pend contre la mienne qu'à présent je touche et autour de laquelle mes doigts se referment affectueusement.
Je rouvre les yeux et m'apprête à partir. Les nuages sont orange, l'horizon rouge vif. Je lâche avec précaution la main d'Amanda. Elle dort.

Rachel également. Ses yeux sont ouverts mais à l'évidence elle ne voit rien, n'entend rien, elle est totalement absente. Je l'observe à son insu, de la pénombre du jardin où le froid de nouveau s'installe. Elle est assise dans le salon, immobile, les mains croisées sur le ventre, le regard perdu. Ce tableau devrait me dire quelque chose, il devrait m'éclairer sur ce qui m'échappe, mais je ne fais que la dévorer des yeux, submergé par le désir, déserté par la pensée — du diable si j'ai jamais été ensorcelé de la sorte.
Une odeur de feu de bois s'est répandue dans l'air, de tamaris coupés, des étoiles apparaissent. Lorsque nous étions encore mari et femme, du moins lorsque nous

espérions encore fonder une famille, je lisais en elle comme dans un livre, je plongeais dans son regard comme dans l'eau d'une source, elle se méfiait si peu de moi que j'en étais presque agacé. Était-elle devenue si impénétrable aujourd'hui ou était-ce moi qui avais perdu ce pouvoir.

Elle sursauta quand j'entrai. Durant une seconde, une fraction de seconde, elle se décomposa. Elle se reprit si vite que je doutai presque d'avoir aperçu autre chose que l'épatant sourire venu illuminer ses traits quand elle me vit.

« Tu m'as fait une de ces peurs », s'exclama-t-elle en plaquant une main contre sa gorge.

En trois pas je fus sur elle et lui entrai ma langue dans la bouche.

Je défiais quiconque de pointer la moindre réticence de sa part à s'abandonner dans mes bras. J'étais prêt à nous laisser filmer pour apporter la preuve qu'elle se pendait littéralement à mon cou et se pressait contre moi en gémissant — ce qu'elle n'avait pas toujours fait. Alors quoi.

Si je me concentrais sur les premières années de notre union, réputées les plus folles, les plus ardentes — avant que je ne commence à gâcher à peu près tout —, je ne donnais pas l'avantage à notre jeune couple sur celui que nous formions aujourd'hui, sexuellement parlant. Non pas que nous survolions maintenant le passé à des hauteurs extravagantes en matière d'orgasme et de béatitude ou dressions un autel au dieu de l'expérience et de la fantaisie, mais nous étions meilleurs à présent, c'est ainsi, c'est la pure vérité, plus habiles, plus patients, plus désespérés, incontestablement mieux préparés au plaisir — et c'était bien la seule justice au monde au bout du compte.

Quoi qu'il en soit, je restais en alerte. Il n'était pas question que je me laisse étourdir par le bonheur qui m'attendait, que je défaille à la minute où elle s'attaquerait aux boutons de mon pantalon. Je restais sur le qui-vive. Tout le temps où je l'embrassais, l'étreignant avec fougue, je mesurais ses réactions, évaluais sa température, enregistrais ses moindres tressaillements. Elle ne pouvait pas me berner. Je me sentais comme le personnage de cette série qui décrypte les visages et dévoile chaque mensonge. Tim Roth est parfaitement génial dans ce rôle, entre parenthèses. Même s'il en fait des tonnes.

Lorsque nous arrivâmes au pied de l'escalier, je donnais à Rachel la note maximum — qui correspond à *extrêmement favorable*. J'avais glissé une main dans son jogging sans cesser de l'embrasser et tout semblait marcher, elle se donnait sans détour, elle ne se retenait pas, tout était normal. J'en étais à la fois heureux et embarrassé. Mon attitude n'était pas très glorieuse. Rachel venait d'ailleurs, avant que nous ne montions à la chambre, de me lancer un bref regard interloqué — que j'avais balayé d'un sourire humide en lui pinçant la pointe des seins.

À l'étage, elle sautait déjà d'un pied sur l'autre pour

enlever son slip. Je l'avais vue faire ça une ou deux fois, pas plus. S'il me manquait une preuve de sa franchise, elle était là. Dans cet improbable empressement. Dans cette invitation sans fard — elle marchait à reculons dans le couloir en tendant sa culotte vers moi, l'agitant sous mon nez comme s'il s'agissait d'une côtelette saignante et moi d'un chien au poil noir hérissé, attiré par l'odeur.

À ce stade, j'étais déjà convaincu. Ce n'était pas une femme que j'avais rencontrée au coin de la rue, dont j'aurais méconnu les habitudes et les coutumes. J'avais d'assez bons repères, au contraire. La coloration des joues, par exemple, était un bon indice. Si le souffle était long ou court en était un autre. Si elle mouillait peu ou en abondance. Si elle parlait ou si elle ne disait rien. Etc. Or tous les voyants étaient au vert.

C'était au point où je me demandais si je n'apercevais pas plutôt une lumière au loin, une formidable promesse. Lorsque je la pénétrai, elle poussa un si triste et merveilleux gémissement de plaisir qu'il me traversa l'esprit que nous avions encore une chance, Rachel et moi, que non seulement ses élans nouveaux étaient francs et sincères mais qu'ils étaient plus forts et plus profonds qu'ils ne l'avaient jamais été.

Plus tard, profitant qu'elle était installée sur le bidet, je m'approche d'elle et pose un baiser sur sa tête, dans ses cheveux. Elle se tourne vers moi, m'examine, me sourit d'un étrange sourire.

« Ne me demande pas ce qui me prend, lui dis-je. Ne

gaspille pas ta salive. » Je me penche pour l'embrasser sur la bouche. Il n'est pas très tard. Si j'étais courageux, je lui présenterais mes excuses. Si j'étais l'homme que j'ai toujours voulu être, je me jetterais à ses pieds pour lui demander pardon d'avoir douté d'elle.

Je vais chercher des cigarettes sur la table de nuit, j'en allume deux et je retourne dans la salle de bains. Je lui en donne une. La célèbre cigarette après l'amour n'est pas la meilleure, mais elle n'est pas non plus la plus mauvaise. Elle aspire une bouffée puis l'écrase. Je vais sur le balcon. La froidure de la nuit me transperce. La lune brille. Je frémis.

Je me trouvais au Japon lorsque l'accident s'était produit. Elle m'avait appelé pour me dire qu'elle allait bientôt perdre connaissance et qu'elle saignait de partout. « Je saigne de partout », avait-elle déclaré d'une voix de petite fille au bord des larmes. J'avais dû prendre un Prozac un peu plus tard, pour me détendre. Sur le coup, j'avais cru à une blague.

J'avais cru à une blague parce que je revenais d'une soirée où Mick m'avait demandé s'il pouvait reprendre deux ou trois de mes morceaux pour son prochain album et cela m'avait mis de bonne humeur. Et de fil en aiguille, j'avais fumé avec une bande de rastas japonais avant de rentrer et je riais encore tout seul au moment de décrocher mon téléphone.

La réalité me gifla tout à coup — un éclair déchirant — dans toute son horreur. Elle haletait. Dans ma main, le téléphone devint aussi chaud qu'une petite bouillotte de grand-mère. Je me mis à haleter moi aussi.

« Daniel, je vais m'évanouir, fit-elle dans un souffle.

— Quoi. Non. Ne t'évanouis pas. Rachel. Tu me fais peur. »

Je tremblais à présent comme une feuille. Je commençais à entendre des coups de frein, des klaxons, des portières qui claquaient. Un chien aboyait aux abords. Quelqu'un cria : « À qui est ce putain de chien. » De brusques fontaines jaillirent alors littéralement de mes yeux, telles de subites montées de lait. « Rachel, Rachel, couinai-je sur le ton d'une vieille porte sur ses vieux gonds, ma chérie bon Dieu, enfin mais qu'est-ce qui se passe. » Je claquais des dents, la panique me faisait pousser des petits sanglots secs, j'expectorais comme si l'on me frappait dans le dos. Je me mis à sangloter, à me tordre, à me griffer les bras, car maintenant elle geignait à l'autre bout du fil, elle émettait une plainte ininterrompue, très faible, si bien que je fus sur le point de vomir devant un tel désastre et je lui criai : « C'est un cauchemar. C'est le pire cauchemar de ma vie. Rachel. Seigneur Dieu. Je suis à dix mille kilomètres de toi. Qu'est-ce que je peux faire. Je crois que je vais me trouver mal moi aussi. Je crois que je vais devenir fou. Appelle une ambulance, pas moi. C'est une torture. C'est un vrai film d'horreur. Ne m'appelle pas au secours quand tu es à l'autre bout du monde. Ça ne sert à rien. C'est abominable. Je suis tellement impuissant, Rachel. Ça me fait tellement mal. »

Les types m'avaient sans doute fait fumer une herbe qui faisait pleurer. Tandis que de Tokyo je cherchais comment appeler une ambulance pour l'envoyer je ne savais où au juste, je larmoyais tout mon soûl et résultat, je distinguais mal les chiffres sur l'écran et je m'énervais, je m'y reprenais à plusieurs fois en poussant des râles d'épouvante comme un homme qui s'est coincé la main dans une porte, mais j'avais en revanche une vision très claire de la dérision de mes efforts, de leur totale absurdité, de la sinistre loufoquerie qu'exhalait ce drame infernal dont la scène se déroulait à mon oreille, si présente, si proche — des montagnes, des déserts, des océans, des milliers de kilomètres nous séparaient, mais nous étions en direct, le son était étonnamment pur, il me semblait entendre couler son sang. Je songe encore à ce funeste épisode lorsqu'elle sort de la salle de bains et m'invite à rentrer car je refroidis toute la chambre. Avant d'obtempérer, je demeure encore un instant sur le balcon et je la regarde, dans l'ombre des rideaux. Je regarde le peignoir de bain tomber de ses épaules, ses jambes meurtries, couvertes de cicatrices, son ventre rond et tendu, ce ventre rond et tendu que j'ai espéré voir venir durant des mois et des mois, mais qui n'est pas de mon fait au bout du compte, ses seins devenus énormes, autrement étourdissants. Encore une fois, je ne peux rien contre le désir brûlant que j'éprouve à son égard. Ça ne m'amuse pas. C'est un peu comme si elle me tenait en laisse. Elle se glisse dans les draps. Elle s'y glisse nue. Il faudrait que je sois un moine enragé ou qu'on m'enchaîne aux quatre membres pour me soustraire aux plaisirs qui m'attendent. Un message s'inscrivant en lettres de feu sur son front, m'intimant de reculer, de me tenir prudemment à l'écart, n'aurait aucun effet sur moi. Cette femme serait capable de m'illuminer de l'intérieur comme un lampion. La lune brille au-dessus de ma tête.

Je vois mon ami, le docteur Joël Friedman, pour mes petits ennuis et la vague inquiétude qu'ils suscitent — je n'ai pas eu la moindre crise en vingt ans et Joël se contente de répondre que j'ai eu de la chance et me conseille de prendre un demi-Prozac de temps en temps. « Tu es en bonne santé, Daniel. On peut dire ça, globalement. Ne demande pas la lune.
— Je n'ai pas envie de tomber raide au milieu d'un concert.
— Ne commence pas à te mettre ça en tête, me gronde-t-il en me prenant l'épaule. Tu ne vas pas tomber raide au milieu d'un concert. »
Tandis que je me rhabille, il retourne dans son bureau pour me rédiger une ordonnance. « Et comment va Rachel, me demande-t-il à travers la cloison.
— Nous dormons de nouveau dans la même chambre. »
S'ensuivent quelques secondes de silence, puis il reprend : « Est-ce que ça répond à ma question.
— Ma foi, oui. Il me semble. »
Je réapparais dans son bureau, reboutonnant les der-

niers boutons de mon gilet. Il se balance dans son siège. « J'espère que tu sais ce que tu fais, Daniel, reprend-il. Parce que ça me paraît quand même un peu dingue.

— Je suis venu pour que tu me soignes. Je ne suis pas venu pour écouter tes considérations sur ce que je fais et sur ce que je ne fais pas. »

Souriant il se penche en avant, croisant les mains sur son bureau où trône un portrait de Caroline, sa femme, lorsqu'elle avait vingt ans. « Je ne peux pas soigner ton truc, m'annonce-t-il. Ça ne se soigne pas. On n'a encore rien trouvé jusqu'ici. Rien qui soit très convaincant. Écoute, peut-être que ta prochaine crise aura lieu dans vingt ans ou peut-être jamais.

— Ou peut-être demain. Ou peut-être aujourd'hui, la journée n'est pas finie.

— Tu t'en tires bien, crois-moi. Ce n'est pas l'ami qui te parle, c'est ton médecin. Ce n'est pas ta santé qui m'inquiète.

— J'ai entendu, Joël. Je ne suis pas sourd. »

Il attend, mais je n'ajoute rien.

« Walter entre à l'hôpital demain, non, finit-il par déclarer. Dis-lui que je passerai dès que possible. J'ai encore eu de bons renseignements sur celui qui va l'opérer. Je crois que nous lui avons trouvé ce qu'il y a de meilleur. Et de plus cher. Dis-lui que Caro l'embrasse. Dis-lui que je l'embrasse aussi. Elle est d'accord avec moi, tu sais. Nous sommes tes amis. C'est notre rôle de te mettre en garde. Ce fichu gosse

n'est pas le tien, Daniel, je voudrais être sûr que tu as bien réfléchi.
— Nous étions prêts à en adopter un. Où est la différence.
— Où est la différence. Tu ne la vois pas. Tu ne vois pas que c'est l'enfant de l'amant de ta femme, espèce d'idiot. Un type a baisé ta femme pendant des mois et tu vas t'occuper du gosse qu'ils ont fait ensemble. Dis-moi que tu es tombé sur la tête.
— C'est ma femme, Rachel est ma femme. Nous avons une histoire. »
Il ricane. « Ah, c'est vrai. Rachel est ta femme. J'avais oublié. »
J'attrape mon ordonnance et fais mine de la parcourir. Quelques étages plus bas, la rue bourdonne.
« J'ai remarqué une chose, lui dis-je. Les hôpitaux sont pleins. Ça m'a frappé. Ça devient rare de tomber sur quelqu'un qui n'a pas quelque chose.
— Si ça continue, je vais pouvoir m'acheter une Aston Martin », déclare-t-il en fixant le portrait de sa femme.
Ce n'est un secret pour personne que ces deux-là se haïssent. Le cabinet dentaire de Caroline se trouve sur le même palier — où ils se croisent le matin, puis le soir en rentrant, après une journée éreintante qui les laisse suffisamment épuisés pour baisser les armes et boire un verre en silence, dans le canapé du salon, devant l'épisode d'une bonne vieille série, avant de songer à ressortir, chacun de son côté, ou de s'enfermer dans sa chambre, guère plus, quelques réflexions

sur la météo, quelques échos des guerres, quelques famines, quelques désastres, guère plus, mais ça ne les empêche pas de me critiquer, de me donner des conseils, de se poser en connaisseurs avisés de la vie en couple. Hallucinant. Elle n'a qu'un couloir à traverser. Elle entre en coup de vent, m'embrasse et demande à Joël de venir voir ce qui se passe à côté, elle a ouvert la fenêtre un instant pour aérer et un pigeon s'est engouffré à l'intérieur. Impossible de le déloger.

Nous y allons. C'est un pigeon fou. J'ai entendu dire que des animaux se droguaient ou s'enivraient et ce pigeon qui avait investi le cabinet de Caroline semblait faire partie de ceux-là — il ne restait pas en place, volait dans toutes les directions, se cognait aux murs et heurtait les carreaux en poussant des cris. Ce n'était pas le film d'Hitchcock mais nous étions forcés de nous protéger le visage quand il fonçait sur nous d'un bruyant et frénétique battement d'ailes. Quelques flacons avaient déjà valsé sur les étagères, du papier avait volé, des empreintes de plâtre s'étaient brisées sur le sol, que divers débris jonchaient.

Joël s'arma d'un club de golf qui traînait par là tandis que je m'approchais d'une fenêtre et l'ouvrais. Un vent glacé pénétra dans la pièce, siffla, mais le pigeon ne sentit pas l'appel de la liberté et rentra tête baissée dans une autre fenêtre. Il resta assommé un court instant mais le temps que l'on s'approche, il s'était élancé et avait repris ses terribles embardées au-dessus de nos têtes.

Joël faucha le volatile en plein vol — un pur coup de chance, car il moulinait à l'aveuglette — et l'oiseau, changé en macabre projectile, s'en alla frapper tout droit Caroline en pleine poitrine avant de glisser comme une chiffe à ses pieds. Je m'apprêtais à le féliciter lorsque je m'aperçus que Caroline avait blêmi — son regard brillait d'un sombre éclat. Au même instant, le sourire de Joël disparut.

« Dis-moi que ce n'est pas vrai, fit-elle d'une voix sourde. Tu n'as pas tué cette pauvre bête, n'est-ce pas. »

Il demeura interdit une seconde puis invoqua le feu de l'action et déclara regretter que la bestiole fût morte.

« Comment aurais-je pu imaginer que tu ferais une chose pareille, soupira-t-elle. Je voulais seulement le chasser et tu lui as fracassé le crâne. Je n'en reviens pas. Tu es docteur, mais est-ce que la vie t'intéresse.

— Est-ce que je dois parler franchement. »

Sans attendre davantage, il s'avança vers elle et ramassa le pigeon encore chaud, et comme il retraversait le palier afin de regagner son bureau, elle me demanda si je voulais qu'elle regarde mes dents puisque j'étais là. Je déclinai sa proposition.

« Comment fais-tu pour le supporter, demanda-t-elle. Moi, je ne peux plus. Tu as vu comment il a éliminé ce pauvre pigeon. Aucune réflexion, aucune pitié. Tu ne connais pas la sauvagerie mentale de cet homme. Il tue froidement un animal et il s'en fout. Il s'en contrefiche. Son cœur est glacé.

— Il a dit qu'il regrettait. Je l'ai entendu.

— Tu n'as rien entendu. C'était du vent. C'était juste des mots. Je te parle d'un vrai regret. Il n'éprouve plus le moindre regret pour quoi que ce soit depuis belle lurette. Daniel, il a tué ce satané pigeon sous nos yeux. Sans sourciller. Merde. N'essaie pas de prendre sa défense. N'essaie pas *toujours* de prendre sa défense. Ça devient sinistre, à la fin. Tu sais très bien que c'est un hypocrite. »

Soudain, Joël est de retour, avec l'oiseau. « Qu'est-ce que tu dis, demande-t-il. C'est de moi que tu parles ou quoi. »

Je retrouve Rachel et je reste vague sur la nature de mon évanouissement, d'autant que Joël, lui dis-je, n'y a rien trouvé d'alarmant. Elle essaye diverses tenues dans diverses boutiques, change de taille de soutien-gorge — j'ouvre de grands yeux, je dis que je n'arrive pas à le croire. De mon côté, je guette les paparazzis. J'en profite pour acheter quelques slips et quelques paires de chaussettes de différentes couleurs. Nous nous promenons dans les rues. Quelquefois, je m'attarde devant une vitrine pour simplement capter notre reflet car je n'ai pas souvent l'occasion de nous voir en pied, l'un à côté de l'autre, Rachel avec son ventre, ce couple parfait que nous formons de nouveau — bien que je sois affublé d'un infâme bonnet enfoncé sur les yeux et d'une paire de lunettes noires qui me donnent l'air d'un évadé de prison tenant son otage par le bras, mais j'ai des raisons d'agir ainsi. Il fait un temps maussade, assez froid. Quand nous rentrons, je me retire un

moment dans mon studio pour travailler un air qui m'est venu dans la nuit accompagné de deux ou trois images relatives à un nouveau départ, à un nouvel élan, et quelques jours plus tard Georges me dit : « Eh bien, tu vois. Ce n'était pas la peine d'en faire une montagne. C'est tout simplement formidable. C'est une chanson magnifique, c'est toi à ton meilleur, c'est un hymne à... »
Je le coupe : « Georges, ne perds pas ton temps, je n'écoute pas ce que tu dis. Je me contrefous de ce que tu dis. Donc, ça en fait une.
— Une merveille. C'est déjà un classique.
— Je t'en prie. Ça va. Et il t'en faut une deuxième.
— Daniel. Donne-la-moi et je me roulerai à tes pieds.
— Très bien. Je note. Rachel voudrait vous avoir à dîner, Georgia et toi. Je n'ai pas vu Georgia depuis un moment.
— Bien sûr. Dis à Rachel que c'est quand elle veut. Mais encore bravo. Encore bravo à toi. Je savais que tu y parviendrais. Je n'en ai jamais douté.
— C'est juste deux accords. Ce n'est pas grand-chose.
— C'est ton génie, Daniel. C'est la marque du grand songwriter que tu es.
— Quoi qu'il en soit, je revenais d'une promenade avec Rachel, en fin d'après-midi. Je n'avais pas enlevé mon manteau quand ça m'a pris. J'ai laissé choir les paquets et je suis allé tout droit dans mon studio, je me suis assis, j'ai pris ma Gibson, et quelques minutes plus

tard, j'ai ouvert les yeux, la chanson était là. Elle était là. Je ne peux rien dire de plus.

— Daniel, le monde que nous avons connu est fini. Certaines personnes, au-dessus de moi, n'ont jamais vu un concert de leur vie.

— Est-ce une raison pour se laisser faire. Veux-tu que nous allions là-haut renverser quelques tables et démolir quelques chaises. »

Lorsqu'il avait vingt ans, Georges m'a raconté qu'il montait sur le toit des camionnettes à la sortie des usines. Il m'a montré des photos. Il avait le regard fiévreux, à l'époque, il avait le poing serré. En réponse à mon invitation il baisse la tête mais je sais qu'au fond de lui, il n'éprouve aucune sorte de honte. Il est entièrement passé de l'autre côté. Sa maison est située sur les hauteurs, c'est l'une des plus agréables que je connaisse. Il a un énorme train de vie. Il ne dit rien mais je pense qu'il n'est pas disposé à me suivre dans les étages supérieurs.

Je me lève. De la main, je lui fais signe que je ne veux rien boire. Avant de sortir, je m'approche des baies pour admirer le panorama, les monts enneigés dans le lointain, baignés de lumière sucrée, le ciel bleu où souffle un air glacé, l'agitation totalement silencieuse de l'avenue qui s'écoule par saccades, les tours de verre enflammées comme des torches dans le soleil de midi. On peut dire que c'est une jolie vue. Je comprends qu'il ait pu s'y attacher.

La chanson s'appelle *Rachel.* Il n'est pas question une

seconde de Rachel dans cette chanson, elle parle d'une matinée tranquille, d'un réveille-matin qui a rendu l'âme, du soleil qui entre dans la chambre, mais j'ai eu envie de l'appeler ainsi et Rachel, après une seconde d'hésitation — de complète panique, m'a-t-il semblé —, s'est pendue un instant à mon cou pour me remercier. « Je suis très honorée », déclare-t-elle. Je lui souris, je lui caresse le ventre. Ma main glisse vers son entrejambe mais elle m'arrête car elle a rendez-vous chez son coiffeur. Je lui donne de l'argent. Je la regarde partir avec un début d'érection. Je n'en reviens pas. Je me demande quelle ahurissante chimie opère entre nous. Comment Rachel peut-elle avoir un tel effet sur moi, qu'ai-je fait pour endurer un tel fardeau. Je lui adresse un signe de la main quand elle s'engouffre dans le taxi qui l'attend au portail.
Georges me rappelle pour m'annoncer que *Rachel* a circulé dans les bureaux et que j'ai déclenché l'enthousiasme.
« Tu m'as mis le dos au mur, Georges.
— Oh arrête, par pitié. J'ai fait ça pour ton bien. Je ne m'attends pas à être remercié mais tu ne crois pas que tu exagères.
— Je n'y peux rien si tu as dressé un mur entre nous. Je ne peux pas faire comme s'il n'existait pas. Gémir ne sert à rien. »
Je raccroche.
Je n'ai pas assez d'amis pour me permettre d'en perdre aussi facilement un seul — fût-ce le plus détestable

d'entre eux. Je prends son appel. Mais c'est Caro que j'ai au bout du fil. Elle est aux urgences avec Joël.
Lorsque je la rejoins, elle tourne en rond au milieu d'une bande d'éclopés qui remplissent des papiers ou bien râlent et saignent et se tiennent la tête ou le ventre en attendant leur tour d'être sauvés.
« Il s'est montré si odieux, me confie-t-elle en étouffant un sanglot. J'ai failli le tuer. »
Plus exactement, elle a frappé Joël sur la tête en se servant du club de golf avec lequel il avait tué le pigeon. Je lui demande de répéter.
Joël se trouve dans la salle de soins. Il est assis sur une chaise. Sa chemise est rouge de sang, sa veste est juste jetée sur ses épaules. Il grimace. Il ne nous a pas encore vus. Je me penche sur Caro pour lui confier qu'elle l'a bien amoché. « Le crâne ça saigne beaucoup, me répond-elle.
— Quand même.
— Il a dépassé les bornes, Daniel. Tu peux imaginer à quel point il les a dépassées. Dans quel état il m'a mise pour que j'en vienne à cette extrémité.
— Tu aurais pu le tuer, Caro, est-ce que tu te rends compte.
— Comment ça, *est-ce que je me rends compte*. Ne me dis pas que tu vas encore prendre sa défense. Non, là ça devient comique. Vous avez passé un pacte ou quoi. »
Je lève les yeux au ciel.
« Je ne vais pas te répéter ce qu'il m'a dit, déclare-t-elle. C'est tellement grossier. Il y a des limites. » Un

infirmier finit de fixer une bande autour de la tête de Joël. Qui lève la main quand il nous aperçoit, nous signifiant d'approcher. Durant un instant, j'ai le sentiment que tout peut basculer dans un terrible pugilat entre les deux, et que je vais y être mêlé, mais il nous accueille avec le sourire et fait une plaisanterie à propos de ces dons de golfeuse qu'il ne lui connaissait pas. Ne voulant pas être en reste, elle prend sa main et la presse contre sa joue avec un regard humide. Ce matin encore, ils vivaient dans la plus complète indifférence l'un vis-à-vis de l'autre, ils se parlaient à peine.
Je les raccompagne car ils sont venus en ambulance. Ils sont blottis épaule contre épaule sur le siège arrière. J'ai une photo de nous trois, sur une plage, vers la fin des années soixante-dix.
Ils me remercient pour ma sollicitude et veulent m'inviter à boire un verre et peut-être en profiter pour discuter avec moi de choses qui se précisent un peu plus chaque jour. « Quelles choses.
— Pas maintenant. Pas dans la voiture. Attendons d'être au calme. »
Je me gare devant chez eux, le soir tombe. Je leur dis que je ne viens pas, que j'en ai assez entendu sur le sujet.
« Il n'y a pas de pire aveugle que celui qui ne veut pas voir », me glisse Joël avant de descendre.
Ils ont raison de s'inquiéter pour moi. Tous ceux qui pensent que j'ai tort de renouer avec Rachel, de le faire au grand jour, ont raison. Elle me tient. Certes, il

y a encore ce type entre nous, ce Tony, mais j'ai bon espoir que son fantôme disparaisse. En dehors de ça, c'est une seconde naissance pour moi. Je suis plein d'appétit pour elle. Ces huit mois durant lesquels elle m'a abandonné sont difficiles à rattraper, mais je finis souvent menotté ou attaché aux coins du lit, et j'aime beaucoup. Mais je ne peux m'empêcher de penser que ce n'était pas dans ses habitudes, avant, et en conséquence, mon bonheur n'est pas total. Mais il est grand. Il reste grand. Il est sans rapport avec tout ce que j'ai connu entre-temps. De sorte que mon choix est simple.
Je rentre et alors que le soir tombe, je demande à Rachel si elle me veut du mal mais elle s'esclaffe et me dit : « Mais non, bien sûr que non, mais quelle idée. Comment peux-tu penser une chose pareille. Que tu es bête. »

« J'imagine qu'elle ne va pas te dire le contraire, déclare Walter. Attends. Tu veux rire, ou quoi. » Je le regarde préparer sa valise. Il entre aujourd'hui à l'hôpital et sa mauvaise humeur est le masque d'une profonde anxiété. Nous sommes début mars et il fait froid, les rives du lac sont encore gelées. Deux ans plus tôt, dans le courant de l'automne, il avait percuté la voiture de Rachel à pleine vitesse et la violence du choc l'avait projeté contre un arbre et lui avait littéralement rompu les os — et pendant ce temps, un camion semi-remorque arrivant en sens inverse éperonnait Rachel et la traînait sur plusieurs

centaines de mètres et lui écrasait les jambes alors qu'au même instant je me trouvais à l'autre bout du monde dans la chambre d'un hôtel de luxe et l'entendais gémir dans mes écouteurs comme elle m'entendait glapir et hoqueter dans les siens au pays du Soleil levant.
« Pourquoi voudrais-je te faire du mal », me murmure-t-elle à l'oreille au milieu de la nuit, dans la semi-pénombre — la lune brille à la jonction des rideaux.
Je me dresse vaguement sur un coude, me tourne vers elle. Son ventre touche mon ventre. Son visage est dans l'ombre. Il y a cinq minutes à peine, nous étions en pleine activité et une certaine moiteur règne encore.
Je hausse mollement les épaules. « Je ne sais pas. Je suppose pour te venger du mal que je t'ai fait. »
Elle se dresse à son tour sur un coude. Elle me fait face. Nous sommes si proches que je sens la tiédeur de son haleine. « Oui, ça suffirait, sans doute. Vivre avec toi n'a pas souvent été simple. »
Je passe la main sur son flanc. « Oui, mais pour ça j'ai payé, me semble-t-il. Tu as couché avec tout un tas de types et pour finir tu m'as abandonné. C'est ce que j'appelle payer. »
Sans me quitter des yeux, elle prend mon sexe dans la main. « Je n'ai aucune envie de te faire du mal, Daniel. Est-ce que tu es sérieux.
— Ça vient peut-être de l'âge. Ça, de se sentir vulnérable. J'aimerais avoir livré mon dernier combat sur le plan sentimental. C'était ça, la question, non. »
Elle se serre contre moi. Passe une cuisse par-dessus

ma hanche, colle ses lèvres aux miennes. Mon départ de l'hôpital, sous un ciel gris, où j'avais laissé Walter aux mains d'une froide infirmière à lunettes, augurait d'une journée exsangue, déprimante, redoutable, peu propice à la création ou au plaisir des sens, et voilà que non content d'avoir enregistré en rentrant quelques bonnes idées au piano, ou encore à la guitare, je finissais cette journée entre les cuisses de Rachel, c'est-à-dire en plein rêve, en pleine lumière, car je n'avais pas le souvenir d'avoir eu des rapports sexuels aussi bons avec elle, pour autant que ma mémoire fût fidèle.

« Ah bon. Tu crois. C'est possible. C'est la première fois que je suis enceinte, tu sais. S'il y a un rapport. Mais bien sûr qu'il y a un rapport. Regarde ces seins. Prends-les dans tes mains. Touche-les. »

Amanda n'avait pas été ravie de la tournure que ma relation avec Rachel prenait. Elle se sentait déprimée. Elle me remercia d'avoir choisi un forfait plus long pour son séjour car elle se trouvait encore faible, mais n'était-ce pas aussi pour la tenir éloignée pendant que je baisais Rachel, n'était-ce pas ça l'objectif numéro un.

« Qu'est-ce que tu vas chercher. Tu es folle. » Je lui passe des écouteurs pour lui faire entendre ma dernière chanson mais au lieu de les mettre, elle les garde serrés dans son poing. « Je suis impatient d'avoir ton avis », insisté-je.

Elle me fusille un instant du regard puis daigne les fixer à ses oreilles.

Elle écoute. À la fin du morceau, je ne sais pas si elle a aimé ou détesté. Je la presse.
« Ce sont les seules bonnes nouvelles que tu as à m'annoncer. Que tu recommences à baiser ta femme.
— Tu es mon amie, je viens voir comment tu vas, nous parlons de choses et d'autres. Je te fais écouter mon travail. Je ne serais pas là si j'avais l'intention de me débarrasser de toi.
— Tu es là car tu te sens obligé d'être là. »
Je soupire. « Je sais qu'il n'y a rien que je puisse dire ou faire qui te fera changer d'avis. Je n'essaie même pas. »
Si je compare Amanda aux autres pensionnaires de l'établissement, je ne dirais pas qu'elle est la plus mal en point, mais elle ne paraît pas très en forme. Elle est grise. Elle a maigri. La directrice n'est pas mécontente, elle pense que le plus dur est passé et qu'Amanda devrait se rétablir très vite. « Mais je ne suis pas en train de parler de miracle », précise-t-elle.
Je vois ce qu'elle veut dire. Rien de très gai. Amanda et moi restons un moment sans parler sur un canapé à fleurs, dans le jardin d'hiver où l'on nous a servi du thé et des gaufrettes. Je regarde ses cheveux. « Je vais te prendre un rendez-vous, lui dis-je. Pour quand tu sortiras.
— Ah parfait. Très bonne idée. Tu penses vraiment à tout. »
Le ton est excédé. Ses nerfs, visiblement fatigués. Elle fume d'ailleurs de plus en plus. Quand nous marchons dans le parc, j'entends le sifflement caché dans sa res-

piration avant que nous ne parvenions au bassin des nénuphars — à la piscine, l'autre jour, je l'ai tenue dans mes bras et j'ai senti les battements rapides à travers ses côtes.

« Amanda, par pitié, tu as été exceptionnelle, tu as été incroyable, tu m'as comblé au-delà de ce que j'imaginais et de ce que je pourrais dire. Mais les choses alors étaient simples. Je ne pouvais pas prévoir que Rachel et moi reprendrions la suite de notre histoire, je ne pouvais pas l'imaginer une seconde tant nous avions dérivé loin l'un de l'autre. Mais c'est pourtant arrivé. Contre toute attente. Des courants bien trop forts quand ils nous happent. Maintenant, écoute-moi, j'aimerais que nous parlions sérieusement, j'aimerais savoir ce que tu penses de ma chanson. Tu peux faire ça pour moi, merci. »

Elle baisse les yeux, elle tourne la tête.

« Quoi, dis-je.

— Rien.

— Quoi, rien.

— Ne me demande pas ça. Ne me fais pas ça. Je ne suis rien. Je suis nulle dans ce domaine.

— Quoi. Mais qu'est-ce que tu me chantes. Allons donc. Dis-moi ce que tu en penses. Je ne blague pas. Vas-y. Quoi. Qu'y a-t-il. Tu as perdu ta langue. »

Je me retourne pour voir ce qui a pu causer son émoi et je ne vois rien.

« Tu ne te rends pas compte, Daniel. Tu es, je ne sais

pas, tu es une espèce de mythe. Je ne veux pas toucher à ce que tu fais. Je n'ai pas le droit.

— Vas-y. Tu as ma permission.

— J'aimerais savoir ce qui va se passer. J'aimerais savoir ce qui va changer. J'aimerais bien savoir pourquoi je fais tout ça. »

Je ne réponds pas. Je pense que Rachel apprécierait d'apprendre qu'Amanda et moi avons de vraies petites scènes de ménage, de petites chamailleries comme en auraient de vieux amants très intimes. Je plaisante mais j'ai perdu Rachel une première fois pour m'être égaré dans le lit d'une autre. Je ne vais pas recommencer. Je suis un homme averti, parfois épuisé sentimentalement parlant. Le soir tombe de nouveau, la pénombre s'installe autour de nous, le jour vacille dans le ciel au-dessus de nos têtes.

Je lui caresse la main pour la rassurer. « Rien ne va changer bien sûr. Tu es mon amie. Je ne vais pas te dire que nous allons continuer à coucher ensemble car ce n'est pas vrai. C'est impossible. Elle m'a jeté à la porte, autrefois. Et pour les mêmes raisons, figure-toi.

— Tu veux dire que nous n'allons plus jamais coucher ensemble.

— Nous ferons d'autres choses, ensemble.

— Comme quoi. Donne-moi un exemple.

— Nous pourrons aller pêcher, par exemple.

— Oh Daniel, va te faire foutre. »

Elle avait perdu son sens de l'humour. L'hiver avait été dur pour elle. Les clients étaient rares, elle s'en sortait

de justesse et ne devait qu'à la régularité de quelques-uns dont je faisais partie de pouvoir joindre les deux bouts.
« C'est parce que je suis trop vieille. Et si je mets un sac sur ma tête.
— Arrête. Écoute. Est-ce que ça te dirait de remonter sur scène. »
Je sais que ce sont des mots magiques. J'ai senti que le moment était venu de les utiliser en guise d'électrochoc. Aucun artiste, petit ou grand, ne peut résister à cet appel, aucun n'a cette force. J'ai senti qu'Amanda en avait besoin à cet instant précis. « Je cherche une batteuse, lui dis-je. Tu penses que tu pourras être prête. » Son sourire s'est changé en grimace. Elle avait cet air quand elle jouissait.
Cette idée m'avait traversé l'esprit déjà deux ou trois fois. Dans ce groupe qu'elle avait formé au milieu des années soixante-dix, j'avais trouvé qu'elle s'en sortait plutôt bien, et elle avait le temps de se préparer. « Ça serait drôle, non. Nous partirions ensemble en tournée. » Elle recule de deux ou trois pas et se rassoit prudemment. Et à ce moment son visage est soudain baigné de larmes et elle porte sa main à sa bouche pour empêcher sa voix de s'échapper ou retenir un sanglot.

Je viens d'avoir un âpre échange avec Rachel. J'ai claqué la porte et suis allé respirer dehors. C'est une de ces nuits de mars encore froides, balayées par la lune, la terre est encore dure. Je suis en chemise, avec un simple tee-shirt dessous. J'enfonce mes mains dans mes poches, je serre les dents, mais je suis mieux dehors, à tout prendre, que d'être à l'intérieur avec elle.

J'ai promis quelque chose à Amanda. Je ne l'ai pas fait avec une idée derrière la tête. Pour pouvoir la baiser plus facilement ou je ne sais quoi. « Ôte-toi ça de l'esprit, lui ai-je dit. Ne sois pas stupide. J'ai passé quelques moments très durs quand tu étais avec Tony. Très très durs. J'ai souffert d'un manque d'affection terrible, je me suis senti très vieux et très seul, perdu au milieu du désert, bla bla bla. Et elle s'est trouvée là. Elle s'est trouvée là. Et elle m'a donné ce que tu me refusais. Et c'est tout. Inutile d'en parler. Je ne te demande pas de me raconter comment tu occupais ton temps avec Tony. Je ne te demande rien. Je n'ai pas l'intention d'en faire de nouveau ma maîtresse, tu es là. Je ne veux rien d'autre. Je n'ai pas l'intention de faire quoi que ce soit que tu puisses me reprocher, Rachel. Laisse-moi être ce que j'aurais dû être. Sois rassurée. Je vais prendre Amanda en tournée. Pas seulement parce que c'est l'élément qu'il me faut, parce qu'elle a du talent et parce que je lui ai donné ma parole, mais parce que j'ai besoin que tu me fasses confiance. Parce que j'ai besoin que tu me respectes. »

Durant quelques secondes, elle semble sur le point d'abonder dans mon sens, mais elle se reprend aussitôt : « En tout cas, je trouve ça malsain. Ne dis pas le

contraire. Ne nie pas que tu lui accordes un intérêt particulier.
— Moins que tu ne crois. Sans doute moins que tu ne crois. Viens avec moi. Viens la voir avec moi. Elle fait peur. Tu seras rassurée, crois-moi. Tu ne risques pas d'être jalouse, la pauvre. Tu sais que je n'ai pas ce genre de penchant.
— Je ne sais pas. Je ne sais rien. Tu as peut-être changé.
— Tu es sérieuse. Que devais-je faire. Ne voir personne, ne parler à personne pendant que tu t'amusais de ton côté.
— Oh. C'est ainsi que tu vois les choses. Tu penses que je m'amusais.
— Je ne sais pas. Si tu faisais autre chose, dis-le-moi.
— Je vivais avec une autre personne que toi, Daniel. Tu ne comprendrais pas.
— Tu oublies que je le connaissais, moi aussi. Ne viens pas me dire que ses pensées te subjuguaient, que ses compositions révélaient une âme noble. Ne me fais pas avaler n'importe quoi. »
Décemment, je ne pouvais pas dire trop de mal d'un homme dont la mort m'était — faussement — imputée, mais chaque soir, et c'était ma grande angoisse, chaque soir je priais pour que l'enfant à naître ne soit pas la réplique de son connard de père en grandissant. J'emploie à dessein le mot connard car c'est exactement ce que Tony était. Un parfait connard. Il y a un mystère, à ce propos. Comment ce genre d'homme

parvenait-il à charmer des femmes belles et intelligentes — était-il même concevable qu'un système engendrât une telle anomalie. Quelle abominable blague.
Et soudain, je prends conscience de la force et de la profondeur du rapport qu'elle a noué avec Tony. Cette révélation me tombe dessus. C'est comme un éblouissement. Je pousse une légère plainte.
« Quoi. Je te fais avaler quoi, demande-t-elle.
— N'essaie pas de le faire passer pour une perle. »
C'est tellement évident. Il fallait que je sois aveugle. Que je me sois crevé les yeux pour ne pas voir. J'en reste une seconde interdit. Et dans ce court espace, je revois l'enterrement de Tony. Je revois cette journée sous la neige qui tombait et qui recouvrait tout, la terre fraîchement retournée, les arbres nus, les manteaux sombres, le cercueil de bois clair. Je me revois me tenant un peu à l'écart, bien qu'officiellement lavé de tout soupçon, et Rachel au premier rang, dont le visage était aussi blanc que les flocons qui tournoyaient dans l'air et les yeux aussi noirs que des charbons. J'avais été frappé par la dureté et l'intensité du coup qu'elle accusait mais je n'en avais tiré aucune conclusion. Lorsqu'elle avait vacillé, j'avais enregistré la scène sans m'interroger davantage. Rien de ce qui pouvait m'ouvrir les yeux ne semblait pouvoir m'atteindre.
« Je te l'ai dit, ricana Walter. Je ne te l'ai pas dit, je ne t'ai pas dit qu'elle était dingue de lui. Mais tu t'es foutu de ma gueule. Tu ne voulais pas admettre que Tony la

baisait mieux que toi, tu ne voulais rien entendre. Combien de fois je te l'ai dit. Mais ça change quoi, aujourd'hui. Il ne peut plus te faire de l'ombre. Tu vas pouvoir te jeter dans les bras de cette folle et attendre qu'elle te brise en mille miettes. »

Son opération a duré huit heures mais il est étonnamment en forme dès le lendemain — bien qu'il ne puisse pas encore remuer un petit doigt ni savoir s'il le remuera un jour. « Et à ce propos, justement, reprend-il. J'ai peur que ça ne pose un problème, tu vois.

— Écoute, ne pense plus à tout ça. Repose-toi. Nous verrons ça plus tard.

— Daniel, si elle reprend toute la place, si elle me fait chier au moindre truc, je ne vais pas pouvoir.

— Bien sûr que si. Ne fais pas l'imbécile. Tu veux boire. Tu as soif. Tu veux quelque chose.

— Gratte-moi la plante des pieds.

— Pardon.

— Je crois sentir des fourmillements.

— Eh bien justement. Peut-être qu'il ne faut rien toucher. J'appelle une infirmière.

— Attends. Souviens-toi de ce que tu m'as promis.

— À propos de quoi.

— Tu sais bien.

— Nous n'en sommes pas là. Arrête. Ne sois pas si pessimiste. Ton opération s'est parfaitement bien passée. Le type s'est fait prendre en photo à tes côtés pour le prochain numéro de *Science et Vie*. Je n'ai pas besoin de te faire un dessin.

— Sinon je te maudirai jusqu'à la dernière minute.
— Tu sais bien que je le ferai. Ne te soucie pas de ça. Mais s'il te plaît, arrêtons d'en parler. » Je regarde autour de moi. « C'est pas mal pour une chambre d'hôpital. C'est moderne, c'est propre.
— Écoute, Daniel. Je me fais du souci pour toi. Je me demande comment tu vas t'en sortir pendant que je vais rester ici. Ça me préoccupe à fond. Te laisser seul avec ces deux femmes sur le dos. Est-ce que je vais retrouver un champ de ruines. Est-ce qu'elles vont fouiller dans les tiroirs de mon bureau. J'ai carrément la trouille, Daniel. Ne prends aucune décision sans m'en avoir parlé. Reste très vigilant. Ne deviens pas une proie facile. »
Je lui souris. À l'évidence, il est bourré de morphine. Il devrait être en train de hurler à la mort après l'intervention qu'il a subie, mais son visage ne trahit aucune souffrance — sinon celle de m'imaginer sombrant sous les assauts conjugués de Rachel et d'Amanda.
Je peux comprendre son appréhension. Je lui ai donné un aperçu des travers dans lesquels je pouvais tomber, des états dépressifs que je pouvais connaître et qui l'obligeaient lui, Walter, à me surveiller comme un enfant malade, à m'écouter geindre, à me ramener chez moi, à me coucher, etc., parce que Rachel m'avait quitté.
« Pas cette fois, dis-je. Ce sera différent, cette fois.
— Tu ne prends aucune décision sans m'en parler d'abord. Tu ne la laisses pas s'immiscer entre nous. Sinon je préfère partir. »

J'ai du mal à imaginer l'indescriptible chaos dans lequel il me laisserait s'il mettait sa menace à exécution. Encore une fois, si Georges avait au moins commis une bonne action à mon égard, c'était d'avoir mis Walter sur ma route, et lorsque j'y pensais, je trouvais également effrayante cette dépendance, le vertige qu'elle causait.

Je lui pressai la main pour le rassurer.

« Ne te fatigue pas, je ne sens rien, dit-il. Tu n'as pas d'épingle. Essayons avec une épingle.

— Sois patient. Le docteur te l'a dit. Chaque cas est différent.

— Tu ne peux pas savoir. Cette sensation d'être enfermé à l'intérieur de soi. Je crois que je me couperais un doigt pour sentir quelque chose. Et en même temps, c'est tranquille. »

Il m'a dit exactement la même chose après l'accident, quand il est sorti de sa première opération, l'angoisse de la paralysie. C'est le risque. La moindre petite défaillance du chirurgien et le courant est rompu, la machine s'arrête et ne fonctionne plus. Impossible de la remettre en marche. C'est le risque.

Depuis lors, je suis chargé de lui tirer une balle dans la tête ou dans le cœur — il me laisse le choix — si le pire advient — j'ai tout d'abord pensé à des médicaments mais il veut une mort brutale et il a fini par me rallier à sa cause, prétextant qu'un vrai gage d'amitié faisait appel à une implication plus directe, plus franche, plus tangible, que celle qui consistait à moudre des pilules

dans un grand verre ou à faire tomber un séchoir à cheveux dans son bain.
Il s'est acheté une arme à cet effet. Il m'a montré comment mettre et enlever la sécurité et ensuite nous l'avons rangée dans le garage et nous n'en parlons plus mais nous savons qu'elle est là, dans sa peau de chamois, qu'elle attend au fond d'une mallette métallique de la marine, cadenassée — en compagnie d'une lettre dans laquelle Walter se dit sain d'esprit et déclare qu'il m'a demandé de mettre fin à ses jours, lettre que nous avons fait constater par huissier, même si ça ne vaut rien, mais Walter y tient. Heureusement, nous n'en sommes pas là, mais il y tient. C'est une manière de me dire qu'il m'aime, et j'y suis très sensible, de me dire qu'il a confiance en moi.
En le quittant, je jette un coup d'œil en arrière. Seuls ses yeux clairs sont désespérément tournés vers moi.
Il s'agit d'un Beretta. Walter l'a obtenu d'un type employé sur la sécurité de mes concerts — et à propos de concerts, j'espère ne pas être obligé d'en annuler, heureusement qu'il nous reste les concerts pour vivre, mais j'ai promis à Walter de ne pas quitter la ville aussi longtemps qu'il resterait à l'hôpital ou au moins pas avant qu'il ne recommence à bouger, à sentir quelque chose, et les premières dates approchent.
Je le sors de sa mallette et je le prends en main. Je vérifie qu'il est chargé. Je le repose. J'ai fait ça une demi-douzaine de fois depuis que nous l'avons. Je n'ai pas d'attirance particulière pour les armes, je veux

juste l'apprivoiser un peu, ne pas avoir de gêne ou éprouver de surprise au moment d'agir mais il est vrai que les battements de mon cœur s'accélèrent quand je l'ai en main, que mes dents se serrent, que mes jambes se raidissent.

Il va de soi que Rachel n'est pas au fait de notre acquisition. Quand elle surgit dans mon dos et me demande ce que je fabrique, je peste contre mon impardonnable étourderie avant de me tourner. Elle s'avance vers moi et baisse les yeux sur le Beretta.

« Ça ne me plaît pas beaucoup, lâche-t-elle avec une grimace.

— À moi non plus, réponds-je en replaçant la mallette au sommet d'une étagère. Mais la situation nous oblige à nous armer.

— La situation. Quelle situation.

— Eh bien, ouvre les yeux. Tu ne vois pas. La colère qui gronde. Le chaos a commencé. Bientôt, les gens vont se mettre à courir dans les rues. Avoir une arme chez soi, c'est le minimum, aujourd'hui. Regarde les Américains. Tu sais ce qu'ils disent. Ce n'est pas l'arme qui tue. »

Tout en lui tenant ce lamentable discours, je la repousse vers l'intérieur de la maison. Le soir tombe. Je lui annonce que Walter s'est réveillé ce matin mais qu'il ne peut pas encore bouger.

« Et il ne veut pas te voir. Il ne veut surtout pas te voir.

— Oui. Inutile de le répéter. J'avais compris. Sa maladie

est inguérissable. Je ferai ce que j'ai à faire. Ne te mêle pas de ça.
— Comment ne pas m'en mêler. Je suis au milieu d'un champ de tir, je suis pris entre deux feux. »
Je baisse la tête et je fonce vers le bar pour me servir un verre — et éteindre l'incendie qui menace en battant judicieusement en retraite.
« De toute façon, je serais plus tranquille si cette arme était dans un coffre, reprend-elle me rejoignant.
— J'entends bien, mais je ne vais pas acheter un coffre simplement pour y mettre un pistolet.
— Ce ne serait pas si étrange que ça.
— Mais si. Bien sûr que si. Ça me semblerait même carrément démesuré. »
Elle s'assoit comme s'assiérait un éléphant, genoux écartés, ventre en avant. Comment cet enfant pourra-t-il jamais être le mien, me demandé-je tandis que je lui sers un verre de jus de grenade. C'est un vrai pari. Les jours, les mois, les années peut-être qui vont suivre s'appuieront sur le rapport que nous établirons cet enfant et moi.
« Ça ne serait pas démesuré du tout », fait-elle en se penchant vers moi.
Je vais voir à la cuisine si Isa a préparé quelque chose pour nous. Elle n'a rien fait. Cette femme passe la moitié de son temps pliée en deux et la qualité de son travail s'en ressent. « Je voudrais vous y voir, m'a-t-elle dit. Je voudrais sacrément vous y voir. » Je n'ai rien répondu. Je sais qu'il s'agit de son nerf sciatique — et

de cette vie, bien sûr —, elle me l'a expliqué des dizaines de fois. Et par exemple, nettoyer le frigidaire va lui prendre une heure.

« Il n'y a rien, lancé-je en direction du salon où j'entends Rachel — le bruit de sa canne sur le plancher. Je commande ou nous descendons en ville. »

Au croisement d'une rue, elle s'arrête pour noter le numéro d'une serrurerie. Il y a des serrures, des clés et des coffres en vitrine. « C'est bien d'avoir de la suite dans les idées, dis-je. C'est une qualité. C'est bien. Tu es une brave fille.

— Est-ce que tu me l'offres.

— Quoi. Ce coffre. Mais je ne veux pas y entreposer des lingots d'or, Rachel. Sois un peu raisonnable. Avons-nous vraiment besoin d'une fermeture à sept pênes tournants en acier nickelé.

— Je vais mettre un enfant au monde dans cette maison, Daniel.

— C'est la bonne réponse. Là, c'est sans appel. S'il s'agissait d'un sabre, ce serait un coup mortel. Absolument imparable. Bon sang, tu es toujours aussi forte. »

Dans le taxi qui nous ramène, elle a entendu dire qu'une arme dans une maison porte malheur. « Nous n'avons pas besoin de ça, déclare-t-elle. Nous n'avons pas besoin de handicap.

— D'accord. J'irai l'enterrer dans le jardin.

— Le plus loin possible.

— Mais bien entendu. »

Ma bonne humeur apparente l'étonne.

« Je ne devrais pas te le dire, Rachel. Mais c'est toi qui me mets dans cet état. Enfin, je crois. Je ne voudrais pas être affreusement sentimental.
— Tu as toujours été un excellent acteur, Daniel. C'est drôle, j'ai l'impression que nous avons été séparés durant des années.
— Ce n'est pas aussi drôle que ça en a l'air. C'est même assez tragique. »
Nous sommes arrivés. Elle descend. Je paye le taxi tandis qu'elle remonte vers la maison. La nuit est claire, froide, silencieuse. Le lac scintille en contrebas. Elle se retourne pour m'attendre et je vois ses jambes par transparence.
Nous le faisons par terre, dans le couloir qui dessert les chambres. Je la suivais dans l'escalier, les yeux fixés sur ses fesses, et j'avais l'impression de prendre feu. Je l'ai enlacée sur le palier. J'ai soulevé sa jupe et plongé mon nez entre ses jambes. Quand nous nous relevons, nous titubons jusqu'à la porte de la chambre, puis jusqu'à la salle de bains où nous décidons d'en prendre un — je dois insister un peu, je vois glisser une ombre sur son visage. Elle est pleine de petits mystères à mes yeux, depuis son retour, comme des choses qu'elle aurait attrapées durant ces longs mois passés dans les bras de Tony et qui la changent, qui font d'elle une autre femme, que je ne connais pas très bien — ce qui ajoute sans doute à l'attrait sexuel qu'elle exerce sur moi.
J'ajoute quelques sels et je fume une cigarette. Quand elle me rejoint, elle s'assied entre mes jambes, le dos

collé à ma poitrine. Je suis bien placé pour lui caresser les seins. Un instant, elle penche la tête en arrière et appuie sa nuque — une pince maintient plus ou moins ses cheveux sur le sommet de son crâne — contre mon épaule.

« Mais tu as changé toi aussi, me dit-elle. D'ailleurs ta voix a changé. Elle est plus grave. Je ne sais pas.

— Je suis content que tu ne m'aies pas vu. Je n'étais pas beau à voir. »

Je hoche tristement la tête avant de reprendre : « Tu sais, je buvais, je ne dormais pas, je fumais deux paquets par jour. Certains matins, j'étais si enroué que je ne pouvais pas parler. Je suçais des pastilles jusqu'au soir. Walter courait les pharmacies pour me trouver du sirop pour la toux avant que je ne monte sur scène. J'en avalais deux bouteilles par jour. Une bouteille, un paquet de cigarettes. Une bouteille, un paquet de cigarettes.

— Daniel, mais tu étais complètement fou.

— Oui, j'imagine. J'ai donné des concerts épouvantables. J'aurais dû être lynché. En tout cas, ma voix est devenue plus grave. Je ne m'appelle pas encore Johnny Cash, mais…

— Écoute. Je ne savais pas.

— Tu n'avais pas besoin de le savoir. Ça aurait changé quoi. J'étais grotesque. Mais tu sais ce que c'est, c'est arrivé au mauvais moment, ton départ m'a tourmenté, je ne vais pas dire le contraire. Et j'ai surréagi. J'ai cru que je tombais au fond d'un gouffre.

— Alors tout est bien qui finit bien. »

J'adore sa nuque, mais à cet instant j'aimerais être face à elle pour voir son air quand elle prononce ces mots — souvent les mots ne suffisent pas —, le pli de la bouche, l'éclat du regard m'auraient renseigné. Je suis incapable de dire si le ton qu'elle a employé est sombre ou ironique. Je rajoute un peu d'eau chaude. Dehors le vent ronfle à la fenêtre et siffle dans les arbres du jardin. J'ai une pensée pour Amanda qui déprime dans sa clinique, une pour Walter sur son lit d'hôpital. Je regrette qu'ils ne soient pas au même endroit, j'éviterais bien des trajets. Georges me dit que cette situation n'est pas propice à mon travail et j'en conviens parfaitement. Mais j'obéis à des raisons supérieures.

« C'est quoi, ça, me dit-il. De quoi me parles-tu.

— Amanda et Walter sont des priorités absolues. Eux avant tout le reste. Mais ça va. J'ai recommencé à travailler la nuit. J'ai pris un nouveau rythme. »

Il fait une profonde grimace, lève les yeux vers les étages supérieurs. « Je ne peux pas aller leur dire que nous prenons du retard à cause de tes amis à l'hôpital. À cause des visites que tu leur rends. Que tu y consacres des journées entières.

— Écoute. Raconte-leur ce que tu veux. Ça m'est complètement égal. Je vous avertirai quand ce sera prêt. Que ça ne vous empêche pas de brûler un cierge chaque fois que vous passerez devant une église. De prier bien fort pour que l'inspiration me vienne. De prier ardemment. »

Mes propos le contrarient mais il sort malgré tout son whisky.

« Tu vas y arriver, Daniel. Quand j'écoute ta dernière livraison, je ne m'inquiète pas beaucoup. »

Je ne trinque pas avec lui. Nous avalons nos verres en silence.

« La semaine prochaine, dis-je. Est-ce que ça va. Rachel y tient. J'ai envie de faire des lasagnes. Sans béchamel.

— Oui, très bien. Ne te casse pas la tête.

— Non. Mais ça ne se confectionne pas en deux minutes. »

Quelques jours s'ensuivent et une angoisse atroce grandit car Walter n'a toujours pas remué un orteil. Les tests ne donnent rien, des professeurs viennent le voir et l'examinent sous toutes les coutures mais ne font rien avancer et Walter commence à dérailler sérieusement, à traiter d'incapable le chirurgien qui l'a opéré, à me lancer des messages muets qui m'arrachent le cœur.

« Tu es donc si pressé de mourir, lui dis-je.

— Tu as juré. Tu l'as juré, oui ou non.

— Le moment venu. Quand le moment serait venu. Ce n'est pas encore le cas. Ne crains rien. Je ne te laisse pas tomber. Je viens te voir tous les jours. »

J'ai prétendu que j'avais enterré le Beretta dans un coin du jardin mais en vérité, je n'ai fait que le changer de place et je continue à le manipuler, à le tirer de ma ceinture le plus rapidement possible pour abattre Walter dans la foulée — et non lui tenir le canon contre la tempe en tremblant et en larmoyant durant

d'interminables minutes, assurément pénibles, pour l'un comme pour l'autre —, prenant bien garde désormais de ne pas me laisser surprendre.
Les choses ne s'arrangent pas quand Rachel, estimant qu'il est condamné, lui rend visite un matin et lorsque j'arrive, il n'ouvre pas la bouche. Il me faut quelques minutes avant de comprendre que son cas n'a pas empiré mais qu'il refuse tout simplement de m'adresser la parole. Je ne suis pas au courant, bien sûr, que Rachel m'a précédé. « À quoi joues-tu, finis-je par demander. C'est pour me remercier de venir te voir. Tu vas te moquer de moi encore longtemps. »
Il prend cinq bonnes minutes avant de me répondre. Bien qu'il ne puisse toujours pas effectuer un simple battement de cils — il y a des gouttes pour lui humidifier les yeux —, je vois tout son corps s'assombrir et soudain il me lâche : « Elle est restée là. Elle est restée là, au pied du lit, sans dire un mot. Comme une statue. À me fixer. Sans expression. Comme une dingue avec son énorme ventre.
— Walter. Épargne-moi ces stupidités. Merci. Regarde ce que j'ai apporté. »
Il baisse les yeux sur l'épingle à nourrice que j'ai sortie de ma poche. Je continue de penser qu'il ne faut pas le faire, mais je ne saurais dire pourquoi.
« Viens là. Et pique-moi le bras. Il faut en finir. »
Je m'approche de lui et je m'aperçois que c'est plus dur que je ne pensais. Je me mords les lèvres.
« Ah. Enfonce-moi cette foutue épingle dans le bras,

grogne-t-il du fond de son effroyable prison. Fais-moi sentir quelque chose. Vas-y. »

Je le regarde droit dans les yeux et je plante l'épingle dans son avant-bras.

Il n'a aucune réaction. Je la plante plus profondément, jusqu'à la garde. Rien. Je m'écarte. Je n'ai pas besoin de lui donner le résultat de l'expérience. Une larme glisse de son œil et roule vers sa tempe et tombe sur l'oreiller.

« Pique-moi dans le cou. Dans le ventre. Ne perdons pas de temps.

— Non. Désolé. Je n'ai pas envie de te tuer. Calme-toi. Tout n'est pas perdu. » Je retire l'épingle de son bras et la remets dans ma poche. « En tout cas, je trouve que Rachel donne le bon exemple.

— La tenir à l'écart de moi. C'est tout ce que je t'ai demandé. Je ne veux pas qu'elle m'approche. Point. Et encore moins qu'elle profite de mon état pour m'imposer sa présence.

— Je ne peux pas mettre quelqu'un en permanence devant ta porte. C'est ta sœur. Elle te fait passer un message de paix.

— Ha ha. Elle est restée perchée comme un oiseau de malheur au pied de mon lit. Pourquoi se serait-elle améliorée. Quel message de paix.

— C'est ce que j'aurais aimé le plus au monde. Avoir une sœur. Ça m'aurait fasciné.

— Mince. En voilà une drôle d'idée. J'ai eu Rachel sur le dos depuis que je suis tout gosse et ça ne m'a pas fasciné du tout. »

Il lui en veut toujours beaucoup. Ils étaient déjà prompts à se chamailler lorsque je les avais connus et j'avais assisté à quelques belles empoignades entre les deux, mais le summum avait été atteint lors de certaines révélations que Rachel avait faites en public sur la sexualité de Walter — qui, fou de rage, l'avait prise en chasse jusqu'au carambolage final que j'avais pu suivre en direct depuis ma chambre de l'hôtel Nikko à Tokyo, avec vue sur mer.

« En tout cas, tiens-toi prêt. Tu es prêt, n'est-ce pas.

— Oui, ne t'inquiète pas. Parlons d'autre chose. L'Europe. Tu as vu ça. Quel immense gâchis, quelle tristesse, quelle honte. Ah, cet acharnement des hommes à se donner les mauvais maîtres. Tout ça me dégoûte. En tout cas, rassure-toi. J'ai annulé l'Italie pour être avec toi, Walter. Ne t'inquiète pas.

— Je veux que nous choisissions le jour et l'heure. Une date butoir. Et ensuite, regarde-moi : tu fais ton travail. Tu vas me le jurer, Daniel. Tu ne me laisseras pas souffrir une minute de plus. J'ai déjà ton serment. Donne-moi une date.

— Attends, Walter. Une date. Tu n'es pas sérieux.

— Arrête de te défiler. Reste mon ami. Ne me joue pas cette comédie ignoble. Montre-toi un peu courageux, putain. Bon, écoute-moi. Je vais t'aider. Je ne vais pas pouvoir tenir longtemps comme ça. Daniel, ce sera une délivrance. »

Rien ne ravit davantage Walter que de prendre les

rênes de notre attelage. Et comme je ne lui en laisse guère l'occasion, il s'en saisit dès qu'il le peut.

« Tu me demandes de te donner une date, lui dis-je. Mais est-ce que tu es fou.

— Très bien. Alors je vais t'en donner une. Je vais te laisser le temps de respirer. Je vais te donner une semaine.

— Une semaine. Mais tu délires. Jamais.

— Une semaine jour pour jour, heure pour heure. Après, je considérerai que tu m'as trahi et je te maudirai jusqu'à la fin de mes jours. Mais faisons-le demain si tu ne veux pas attendre. Ça ne change rien pour moi. Regarde-moi. Je suis devenu une pierre. Aie pitié de moi, Daniel. Tu l'as juré. Délivre-moi de cette puante dépouille. Honore ta promesse. Tu as une semaine. »

C'est le soir où Georges vient dîner à la maison et je suis encore secoué par les propos que Walter m'a tenus quelques heures plus tôt. J'enfourne mes lasagnes et je me sers un gin-tonic. Je reste seul en bas pendant un moment. Au-dehors, la lumière décline. L'hiver a ceci de bon qu'il décharne les arbres du voisinage, libérant ainsi la vue sur le lac dont les eaux scintillent derrière les branches nues. Lorsque nous avons des gens à table, il n'est pas rare que certains finissent hypnotisés par le paysage, par ses lueurs mouvantes, ses troubles, ses éclats. Isa, quand elle n'est pas dans la cuisine le dos plié en deux sur une chaise, y est particulièrement sensible. Elle peut rester avec la soupière à la main, parfaitement immobile, le regard tourné vers le dehors,

alors qu'elle est censée nous servir, ne sursautant qu'à mon troisième rappel.
« Merci, Isa. Posez tout ça sur la table. Nous allons nous débrouiller. Vous pouvez rentrer chez vous. Et soignez-moi ce dos. Appliquez-y des compresses chaudes, je ne sais pas. Vous mouillez un gant et vous le passez au micro-ondes. »
Joël et Caro nous ont rejoints. Avec Georges, ils ont rivalisé d'amabilités envers Rachel. C'est à qui lui décoche un sourire à présent, lui caresse la main, se félicite de la retrouver, lui redit combien elle nous a manqué, bla bla bla, jusqu'à la fin du repas au terme duquel Rachel rayonne. L'ombre de Tony plane en permanence au-dessus de nous, mais personne n'en parle.
J'aime autant que les choses se passent ainsi, qu'elles se couvrent d'un vernis qui les protège. Nous sommes amenés à nous croiser, à sortir ensemble, à donner de nos nouvelles, à nous fréquenter, à entendre quelques confessions, et s'il suffit de détourner le regard de temps en temps, s'il suffit de ne pas voir ce qu'on a sous les yeux, je suis pour. Je n'ai rien contre une petite dose d'hypocrisie si l'entente est à ce prix. Je les écoute parler et rire et ils sont parfaits. Ils jouent parfaitement leur vie. Ils sont bons.
Joël me jette un coup d'œil et raconte qu'il s'est ouvert le crâne durant une séance de musculation — mais qui peut croire qu'il en fait plus d'une fois par mois. J'ai allumé du feu dans la cheminée et Georges me rejoint

avant les autres. « Rachel est magnifique, me confie-t-il. Et c'est pour quand.
— Début avril. Tu ne me demandes pas ce que ça me fait.
— Non. Je le sais déjà. Et Walter. Comment va-t-il.
— Rien de changé. L'espoir faiblit de jour en jour. Va le voir. Ne perds pas de temps. Il n'avait pas le moral, ce matin. Emmène Joël. Allez-y tous les deux. » Je le regarde en caressant la tête de Georgia qui cherche à me lécher la main, ce qui m'écœure au plus haut point. Quand ils partent, Rachel me demande si la mine sombre que j'ai affichée durant toute la soirée a quelque chose à voir avec la visite qu'elle a rendue à Walter le matin même.
« C'est ton frère, Rachel. Je ne veux pas m'en mêler. Pas dans l'état où il est. Je ne peux pas me mettre en travers de vous. Regardons les choses en face. Walter n'est plus qu'une voix dans un corps sans vie. C'était peut-être la dernière visite que tu lui rendais. Et j'aurais dû empêcher votre rencontre. Vraiment. Je n'aimerais pas avoir ça sur la conscience.
— Tu ne vas pas un peu vite. Walter n'est pas encore mort. Tu n'as rien de moins lugubre pour terminer la soirée.
— Tu m'as demandé ce qui me préoccupait. Je crois qu'il va beaucoup plus mal que tu ne le penses. Personne ne sait au juste s'il va s'en tirer. Lui est persuadé que non.

— Il est comme ça. C'est dans sa nature. C'est un tragique. Il a un cœur solide.

— Ce n'est pas la chose à lui dire. Qu'il a un cœur solide. Tu lui fais encore plus mal. Ne lui dis pas que son calvaire peut durer quarante ans. S'il te plaît. »

Elle s'étend sur le canapé, un avant-bras replié sur les yeux. « Aide-moi à remonter, dit-elle. Dans cinq minutes. Si tu fais attention à ce qu'il te raconte, tu es fichu. Laisse-moi souffler un instant. »

Puis elle soupire : « Alors qu'en dis-tu. C'était plutôt réussi, non. En dehors de cette saloperie de chien qui perd de plus en plus de poils et bave sur mes coussins. »

Je trouve amusant qu'elle dise *mes* coussins, qu'elle se soit habituée si vite, d'autant que j'ai acheté ce canapé pendant qu'elle vivait avec Tony.

« C'est un bel atterrissage, dis-je. Tu les as tous remis dans ta poche. On aurait dit qu'ils avaient gardé ta place. Qu'ils n'attendaient que ça.

— Tu as vu comme ils se sont empressés d'ignorer les mois où j'ai vécu avec un autre homme. Ils l'ont effacé de leur esprit. C'est hallucinant.

— Ce sont nos amis. Ils nous aiment bien. Soyons charitables. Ne demande pas l'impossible.

— Je trouve que ce n'est pas juste. Je ne me sens pas honteuse de t'avoir quitté. Je ne me sens pas honteuse d'avoir vécu avec Tony.

— Je n'ai jamais pensé que tu pourrais l'être.

— Ce n'était pas l'imbécile maladroit que tu prétends

avoir connu. Il t'aurait peut-être étonné si tu t'étais intéressé à lui.
— Oui, mais malheureusement, je ne peux pas m'intéresser à tous les gens que je croise. Parler de ça ne sert à rien. Je connais au moins cent musiciens qui ont joué avec moi au cours de ces dernières années. Comment veux-tu que je fasse. Mais tu ne me feras pas dire que c'était un bon musicien. Je veux bien admettre que c'était un type formidable, un amant extraordinaire, mais un bon musicien certainement pas, je suis désolé. Maintenant, n'en parlons plus.
— Tu n'es pas obligé de salir sa mémoire.
— Je ne salis rien du tout. Je veux juste que nous évitions de parler de lui, toi et moi, rien de plus, que nous n'abordions pas le sujet. Tu peux en parler avec qui tu veux, mais pas avec moi. Ce n'est pas nécessaire. Je n'ai pas besoin d'en savoir plus que je n'en sais.
— Ne sois pas désagréable. Considère le cadeau qu'il nous fait. »
Je grimace un sourire. « C'est encore assez vague, pour moi. Il t'a donné ce dont je t'ai privée durant toutes ces années. Je ne peux pas me mesurer à ça. Impossible. Autant se battre avec un bras attaché dans le dos.
— Eh bien, laisse-moi en décider. C'est à moi de décider si tu peux ou non. »
Elle tend la main vers moi et je l'aide à monter. Je n'en crois pas mes oreilles. Qu'elle m'ait tenu de tels propos. Presque une déclaration. Je pense qu'elle a un peu bu. Elle a savouré chaque instant de la soirée, je l'observais.

Parfois elle souriait sans raison ou semblait à des kilomètres. Je me demandais si elle pensait à lui.
« J'ai le sentiment que tu n'as pas dit trop de mal de moi, déclare-t-elle tandis que nous gravissons les dernières marches. J'ai l'impression de leur avoir manqué.
— Tu es sortie du cadre. Tu as tout déséquilibré.
— Oui, je sais. Je sais ce que ça fait. »
J'avais couché avec une femme et, en représailles, Rachel avait eu une dizaine d'amants. Mais sans doute oui, savait-elle ce que ça faisait d'être trompé. Ce qu'elle ne savait pas, c'est ce que ça faisait d'être plaqué, de retrouver une maison déserte — de n'avoir personne à qui se mesurer, de parler dans le vide, d'être abandonné, de n'écouter que ses propres cris.
Je n'avais même pas pu tenir un mois entier. J'avais commencé à me saouler vingt-cinq jours après son départ. À l'occasion d'un concert à Rome au cours duquel je ne parvenais pas à me concentrer. En raison de son départ. En raison de la douleur que provoquait son absence et qui me tordait le ventre. Morceau après morceau, rien ne prenait. Comme autant d'allumettes grattées en plein vent. L'alcool avait éteint le feu qui me brûlait. J'étais monté sur scène relativement ivre et j'avais donné le plus mauvais concert de ma vie, le plus lamentable, je tenais encore debout par l'opération du Saint-Esprit et plus tard un orage avait éclaté et le public pataugeait dans la boue. Walter avait eu tellement honte qu'il était retourné à l'hôtel sans attendre la fin.

Il existe un enregistrement pirate de ce concert. Lorsque je l'ai regardé, la première fois, j'ai eu un frisson d'effroi, je me suis fait peur. Je chante d'une voix traînante, éraillée, j'oublie des strophes entières, je joue mal. Je suis lugubre. Mais les gens adorent. Ils trouvent ma prestation émouvante. Elle a été vue un nombre incalculable de fois. Ils adorent le moment où je tombe ivre mort — j'ai continué à boire sur scène — devant une forêt de bâches et de parapluies luisants. C'est le clou du spectacle — que certains apprécièrent au sixième degré, comme une allégorie de la mort de l'industrie musicale.

Ce soir-là, je découvris qu'une bouteille de Famous Grouse était un remède aux douleurs les plus tenaces — bien que j'aie failli me fracasser le crâne contre une poutrelle métallique soutenant l'écran géant. Ce n'était pas un remède parfaitement indolore mais il était efficace. J'avais dormi comme une brute, sans faire le moindre rêve, et ce répit était à coup sûr le premier que je m'accordais. Une dizaine d'heures sans penser à elle, sans m'abandonner au mal qui me rongeait. Soixante-dix centilitres d'alcool pour dix heures de tranquillité. La formule était simple.

Quand je ne buvais pas, j'étais d'une mélancolie épouvantable. J'en souris aujourd'hui que je suis dans ce même lit — attendant que Rachel vienne me rejoindre —, mais je ne souriais pas quand je m'y retrouvais seul, quand j'y passais des heures entières éveillé, à me retourner dans ses draps moites, à me morfondre, à grogner

comme une bête, impuissant à remettre ce monde sur ses pieds.
Quand elle entre dans le lit, elle est presque nue. Elle se masse les mains avec une crème. Nous essayons de voir si nous pouvons refaire chambre commune ou si je garde mon lit dans le studio. Nous n'avons rien décidé. Pour le moment, nos jeux sexuels nous conduisent à adopter le mode chambre commune, mais rien ne vaut le mode chambre individuelle, rien ne vaut un espace d'intimité. Tout le monde le sait. Tout le monde l'apprend tôt ou tard.
« Mais m'endormir avec toi, dis-je, me réveiller contre toi. Je ne sais pas ce que tu en dis, mais moi, en tout cas, j'y suis favorable. Au moins dans un premier temps. Refaisons connaissance. Continuons comme ça. Ne dressons aucun plan.
— Je vois ce que tu veux dire. Je suis d'accord. Très bien. Profitons-en le plus possible. Dans un mois, nous ne pourrons plus faire grand-chose. Je crois que l'envie ne revient pas tout de suite. Surtout si je suis déchirée. »
Je déteste soudain cet enfant avant de l'avoir vu.

Le lendemain, je fais venir Amanda dans un studio et je la fais jouer avec quelques musiciens pour voir son niveau et elle s'en tire encore très bien. Je l'engage. Elle me saute au cou. À la réflexion, Georges n'est pas contre. Il voit aussitôt le parti que l'on peut en tirer. Surtout pour l'image. Pour son côté excentrique. « Prenons un bon photographe. Prenons le meilleur. Qu'il

nous fasse un truc original avec cette vieille femme et toi.
— Je vais me mettre à la recherche d'un guitariste de quatre-vingts ans aveugle. Et d'un bassiste en fauteuil roulant. »
Georges n'a plus un poil d'humour. Je l'ai remarqué depuis quelques années déjà et les choses ont empiré depuis. Il me regarde sans comprendre. Il n'était pas comme ça. Quand je l'ai rencontré, c'était un type résolu, inflexible, qui ne s'en laissait conter par rien ni par personne, mais ils avaient eu raison de lui pour finir, ils avaient fini par trouver un prix, par trouver à quoi ressemblait la villa dont il rêvait. Ainsi qu'un poste de directeur artistique. Et il était venu pleurer et se saouler chez moi durant deux jours et deux nuits, me répétant qu'il était une ordure mais qu'il avait accepté leur offre et donc n'était plus mon agent mais devenait mon interlocuteur au nom de la maison de disques et en quelque sorte mon patron.
Je me souviens de la stupeur dans laquelle il m'avait plongé en m'annonçant qu'il me quittait pour se mettre au service de ceux que nous avions âprement combattus des années durant, toutes ces maisons de disques, tous ces studios qui avaient gagné des montagnes d'or sur notre dos, j'en étais resté sans voix. Je m'étais simplement esclaffé. De son nouveau bureau situé à l'avant-dernier étage, la vue sur le lac et les montagnes était magnifique. Il sortit sa bouteille de whisky mais je levai la main pour décliner.

J'avais blêmi alors, je m'en souviens, en songeant aux mille et une corvées dont j'aurais dû m'acquitter, aux mille tracas quotidiens, si Walter n'avait pas pris le relais. Je blêmissais de nouveau aujourd'hui, pour les mêmes raisons, en voyant le courrier qui s'entassait sur la table, les factures, les invitations, les réponses à donner, les dates à confirmer — le clignotement du répondeur indiquait que la machine était pleine.

En me voyant arriver, j'ai l'impression — mais il en est bien sûr incapable — que Walter se fige. « Détends-toi, lui dis-je. Du calme. Je ne suis pas là pour ça. Je te rends ma visite habituelle.
— Tu attends quoi. Que je devienne fou. Que je souffre davantage.
— Mais non. Bien sûr que non. C'est toi qui m'as parlé d'une semaine. Laisse-moi me préparer. J'y travaille. Que dirais-tu de faire ça dans les bois. Pas ici. Pas dans ce sinistre hôpital.
— Oui, fais ce que tu veux. Ça me plaît bien.
— Je loue une camionnette et je t'embarque avec ton fauteuil.
— Parfait. Parfait.
— Je suis en train d'y travailler. J'ai passé quelques coups de fil.
— Merci. Viens ici. Embrasse-moi. »
Je trouve qu'il a déjà une drôle d'odeur. C'est psychologique, sans doute, mais il n'empêche. Une vague

odeur de terre humide. Lui qui est si soucieux de sa personne. De lichen.
« Est-ce que je pue, demande-t-il. Il paraît que c'est un signe. Un infirmier m'a dit ça. Parce que tu as fait une espèce de grimace.
— À cause de la savonnette. Tu as une odeur de savonnette. De rien d'autre. Ne pense pas à ce genre de chose. Ne t'inquiète pas de telles broutilles. Tu veux connaître l'odeur du Christ sur la Croix. Moi pas.
— Ce matin, un jeune type m'a lavé les couilles et je suis resté sans réaction, j'en ai pleuré, j'ai prié pour que tu viennes me délivrer aujourd'hui.
— Ne t'en fais pas. Je suis là. Mais j'aimerais éviter la prison, si possible. J'aimerais essayer.
— Tu ne crains rien. Tu as notre papier. »
Je ne lui dis pas que son papier ne vaudra rien devant un juge. À quoi bon. J'ai donné ma parole en connaissance de cause.
« Il arrive un moment où l'on ne peut plus s'occuper des lois, où l'on est dans une autre dimension », expliquai-je à Marco, l'homme qui nous avait fourni le Beretta et qui venait de me vendre un poignard de combat sur le parking de l'hôpital. Je tenais à ce qu'il vienne avec moi et entende Walter, qu'il entende de la bouche de celui-ci son absolue volonté d'en finir. « Vous avez vu, je ne vous ai pas raconté de blague, déclarai-je en le raccompagnant. C'est comme ça. Chacun est libre de choisir. Chacun est libre de donner des limites à la souffrance.

— C'est même recommandé, m'sieur, sinon où est-ce qu'on va.
— Alors très bien. Entendu comme ça. Vous êtes jeune, vous êtes costaud. Vous louez une camionnette, vous reprenez le Beretta, j'ajoute deux cents euros et vous me donnez un coup de main pour le sortir de l'hôpital et vous nous conduisez dans les bois. Je vous montrerai. C'est tout. Vous l'avez entendu. Je n'ai rien inventé. Nous allons faire une bonne action, je vous assure.
— Je ferai rien et je toucherai à rien.
— Bien entendu. Donnez-moi juste un coup de main. Rien de terrible. Ça ne me viendrait pas à l'esprit de vous impliquer dans cette histoire. Je ne suis pas comme ça, mon vieux. Il vous aime bien, vous savez. C'est la seconde fois que nous faisons appel à vous.
— Écoutez, m'sieur, je vous prête la main pour cinq cents euros.
— Mais tu perds la raison. C'est une blague. Trois cents, c'est tout ce que je peux faire.
— Trois cent cinquante.
— Merde. Bon. Mais c'est du vol. Tu profites que le temps presse. Rendez-vous dans trois jours. D'accord. On commencera par le sortir de là. C'est le plus ennuyeux. La suite sera un jeu d'enfant. Nous filerons dans la forêt. Il faut préparer tout ça. Nous avons trois jours.
— Trois cent cinquante, c'est donné, m'sieur.
— Non, ce n'est pas donné. Nous avons arrêté un prix,

Marco. Si tu n'as pas de parole, tu ne feras pas long feu dans le métier. Une réputation s'établit vite. »

Depuis quelques jours, les températures se sont adoucies, le ciel reste parfois lumineux des heures durant, puis le temps se gâte, le vent balaie d'énormes gouttes qui vrombissent dans le ciel noir et le lac peut se mettre à bouillir comme une marmite et les sirènes se déclencher sous la tempête.

Je lui amène Amanda. Il est assis dans son fauteuil roulant, attaché, le front tenu par une lanière de cuir qui l'empêche de piquer du nez. Il me dit : « Espèce de connard » mais il est bien vite mieux disposé à mon égard après qu'Amanda l'a cajolé. Je profite d'un instant où je suis seul avec lui pour lui faire signe que je suis prêt.

« Oh, merci mon Dieu, soupire-t-il. N'attends plus, Daniel. Je deviens fou, mets fin à mon supplice.

— Je vais le faire, Walter. Je vais le faire. Ne crois pas que c'est facile. J'ai regardé la météo. Après-demain, il fera beau, le sol aura séché.

— Chaque minute qui passe est une souffrance. Garde bien ça en mémoire. Me maintenir en vie, contre ma volonté, c'est m'insulter. »

Je hoche la tête. J'attends le retour d'Amanda en fumant une cigarette — j'ai ouvert la fenêtre, bien qu'il ne sente rien, ni froid ni odeur, et semble bien parti pour ne plus les sentir jamais.

« Elle va faire une batteuse formidable, dit-il. Occupe-toi d'elle. Ne la laisse pas tomber. »

Elle revient. Elle lui sourit. Il lui demande de partir. À moi aussi. Dans le couloir, je m'excuse pour lui, mais elle comprend. Elle estime qu'il a le droit d'être désagréable. Bien sûr, elle l'a connu plus gentil garçon — il jurait qu'il n'y avait qu'avec Amanda qu'il parvenait à le faire avec une femme, qu'elle était la seule qu'il eût jamais aimée —, mais elle imagine l'atroce épreuve qu'il traverse aujourd'hui et elle lui pardonne tout.
« C'était un amant parfaitement honorable, me dit-elle tandis que j'appelle l'ascenseur qui semble coincé à l'étage supérieur. Il est encore venu me voir à Noël et tout s'est très bien passé. Il n'a eu aucun mal. Même si j'ai bien vu que je n'étais pas son idéal, sexuellement. Il le cachait si bien que ça se voyait à peine. Mais là-dessus, on ne peut pas tromper une femme, bien sûr. »
Pour finir, nous descendons à pied.

J'ai organisé une nouvelle séance avec des musiciens que je connais bien et nous jouons durant quelques heures — je surveille tout particulièrement la façon dont les choses se déroulent entre Amanda et les autres, mais quand tombe le soir, je suis satisfait. Je vois des mines satisfaites.
Je rentre. J'actionne le portail électrique. Je passe par le garage — je ne peux m'empêcher de vérifier que le Beretta et le poignard sont bien à leur place. Rachel arrive plus tard. Elle revient de l'hôpital, visiblement très excitée. « Espoir. Il y a un espoir, Daniel. Assez faible, mais il existe. »

Je souris faiblement. « Voilà une bonne nouvelle. Et qu'est-ce qu'il dit.
— Il ne dit rien. Avec moi, il est muet. »
Je hausse un peu les épaules. Le poids qui pèse dessus me fait chanceler une seconde. J'évite de la regarder en face. Je suis censé mettre fin aux jours de son frère dans les quarante-huit heures et la besogne qui m'attend me rend infiniment triste et incapable de la regarder en face. Dans moins de quarante-huit heures, je vais perdre Walter une seconde fois et j'en suis profondément meurtri.
« Ça devrait te mettre en joie, dit-elle. Qu'y a-t-il.
— C'est une vraie torture. Ça ne fait que commencer. L'espoir est le pire poison qu'on puisse imaginer. »
Elle me considère un instant en silence, les poings aux hanches, la tête légèrement inclinée. « C'est ce côté optimiste que j'aime chez toi, finit-elle par déclarer. Il regonfle les cœurs. »
Je lui demande de m'excuser. Je dis que la douleur de Walter a déteint sur moi, que sa noirceur m'envahit et m'entraîne vers le bas depuis qu'il s'est réveillé de son opération. « Non, je me trompe. Il ne s'est toujours pas réveillé. Je ne dirais pas qu'il s'est réveillé, je ne veux pas lui faire cet affront.
— Je lui ai déclaré que je regrettais cette scène que nous avions eue et qui avait failli nous tuer.
— Parce que tu le sens toi aussi. Parce que tu sens que c'est peut-être la dernière chance de te réconcilier avec lui. Voilà pourquoi je ne me réjouis pas davantage.

Parce que nous avons ce sentiment de l'inéluctable. Tout comme lui. Alors enfin tu t'es décidée. C'est bien. Je suis content. C'est très bien. Reconnaître son erreur n'est pas une défaite, c'est une victoire. »
Sans attendre, je me dirige vers le bar. Je lutte pour ne pas recommencer à boire mais les événements ne s'y prêtent guère, ces temps. Ils se précipitent.
Je lui rends de nouveau visite le lendemain, en fin de journée. « La forêt est belle, lui dis-je. La météo est bonne. Donc, sortons de la ville. Allons dans la nature. Tâchons de trouver un endroit calme. Marco viendra te chercher demain, en fin d'après-midi. Tiens-toi prêt. » Je ne m'attends pas à ce qu'il ait changé d'avis, mais je tends néanmoins l'oreille afin de recueillir un éventuel et ultime changement d'avis. Rien ne vient, bien entendu. Je reste debout, raide, silencieux, hésitant, tenant sa main froide entre les miennes, jusqu'à ce qu'il finisse par me dire : « Daniel, tu fais quoi, là. »
Je passe une nuit épouvantable.
De bon matin, je descends au bord du lac et je plonge dans l'eau froide. Je nage avec vigueur le long des rives encore désertes en dehors de quelques misérables promeneurs de chiens. J'en sors bleu, rouge, fumant, le cœur battant. Le soleil se lève et inonde le lac. Je remonte aux commandes de la Norton que Walter m'a confiée jusqu'à sa sortie de l'hôpital. Le printemps approche. Je suis heureux qu'il fasse beau. Je redoutais l'un de ces orages qui aurait tout flanqué par terre, de la pluie, des nuages bas obscurcissant le ciel, un coup

de vent, de la grêle, mais j'avais examiné plusieurs sites et tous annonçaient une belle journée.
Je descends de moto et j'ai à peine ôté mon casque, je retire mes gants, que le portail électrique se rouvre dans mon dos. Mais il n'y a personne. Durant un instant, un courant d'air tiède se déverse sur moi et m'envahit. Je frémis. Les alentours sont vides, silencieux. Puis les battants se referment. Je respire.
Je demande à Isa qui passe l'aspirateur dans le salon avec des écouteurs sur la tête si c'est elle qui a commandé l'ouverture du portail et elle me regarde comme si j'avais perdu la raison.
Elle trouve que je sens la vase. Je prends une douche froide. Je m'habille. Je me coiffe. J'emmène Rachel déjeuner quelque part en ville. Je parle à droite, je souris à gauche, je signe quelques autographes, je plaisante avec elle, j'écoute les dernières innovations en matière d'accouchement, j'exprime de l'intérêt pour le massage des bébés et le débat sur l'emploi de la péridurale, mais au fond de moi je reste concentré. Absolument concentré. Je ne me disperse pas.
Nous rentrons. Elle se met à son ordinateur. Je prétends que je vais travailler. Je n'ai pas besoin de dire que je ne veux pas être dérangé. Nous parlons la même langue, de ce point de vue. Elle sait quel détestable individu je suis quand je m'enferme, quel ours mal léché je fais quand je suis plongé dans mes chansons et que l'on frappe à ma porte. J'ai de la chance d'être tombé sur une femme qui ne veut pas tout.

Avant de sortir du studio, je laisse un peu de musique. Je repasse par le garage afin de récupérer le poignard et le Beretta que je glisse dans ma ceinture. À l'heure dite, Marco me prend sur le bord de la route, dans une camionnette bleu marine. Il porte avec assurance une casquette et un bomber noirs SÉCURITÉ.
« Je pensais à quelque chose de plus discret, dis-je.
— C'est tout à fait discret, m'sieur. Les gens sont habitués. Je vous sens nerveux.
— Je suis tendu, c'est différent. C'est la gravité de mon geste. Ça Dieu ne me le pardonnera jamais, inutile d'y compter. »
Il glousse. Nous nous glissons dans les embouteillages. Il fait beau. Je lui donne son enveloppe. Il compte.
« C'est parce que c'est vous, dit-il. C'est vraiment parce que c'est vous.
— Merci. Je vais te faire envoyer ma discographie complète. »
Nous trouvons à nous garer derrière l'hôpital. Il descend. Il me dit qu'au moindre problème, il laisse tout tomber, il déballera tout s'il le faut. J'opine. Je le regarde s'éloigner et je pense que je n'aurais pu choisir pire compagnon pour ce périple intime et funèbre. Il disparaît par une porte de l'hôpital.
Il fait vite une chaleur étouffante dans la camionnette, elle est en plein soleil et je ne tarde pas à transpirer abondamment, mais je ne songe même pas à ouvrir, je reste immobile, refusant de me laisser dissiper, de relâcher ma concentration en un tel moment. J'ima-

gine que Walter attend aussi ça de moi, un peu de dignité, un peu de solennité au cours de cette journée, et particulièrement maintenant que le mécanisme est enclenché — sans espoir de retour.

Je me remémore le portail qui s'est ouvert dans mon dos ce matin, au souffle tiède qui m'a submergé. Je trouve que Marco met un temps fou à réapparaître, je trouve que c'est très long.

Je m'en veux de m'être embarqué avec ce type, je sens que je vais le regretter, c'est un abruti, tout peut s'écrouler à cause de lui, les choses les plus simples peuvent devenir de vrais casse-tête, je le lis sur son visage, le devine, le pressens. Je serre les poings. Quelques légers nuages passent.

La vie sans Walter ne va pas être facile. Je m'attends à des heures noires, à des envies d'alcool que je ne pourrai pas maîtriser. Je crois que le retour de Rachel ne peut pas mieux tomber. Je suis profondément athée mais aussi tellement croyant. Je suis tenté de dire que le retour de Rachel est un don du ciel. Qui d'autre qu'elle peut m'être aussi proche. Qui mieux qu'elle peut occuper sa place. Qui a envie d'être un étranger perdu dans ce monde. Qui a vraiment envie d'être seul.

Les voilà enfin. J'ouvre les portes arrière. Je suis ruisselant. Je souris. Nous chargeons Walter et son fauteuil.

« Tu es là, me dit-il. Daniel, je suis heureux de te voir.

— Tu as vu ce temps. Magnifique, n'est-ce pas. Les arbres sont presque en fleur. »

Marco démarre. Il met la clim.
Je m'assieds face à Walter. Des images de rues défilent, des magasins, des trottoirs, des gens. « Pas fâché de quitter l'hôpital, déclare-t-il. Je suis ravi d'aller me balader avec toi. » Ses yeux brillent. Marco me considère d'un œil torve dans le rétroviseur. Walter me fixe. Mon cœur bat comme si j'avais couru.
Nous longeons le lac un moment, le soleil court sur la surface, ondule, puis nous montons dans les bois et il se glisse entre les arbres.
« Tu en fais une tête », me dit-il. De la bave a séché au coin de ses lèvres, ce qui n'arrange pas son élocution — déjà si défaillante que l'on ne comprendra bientôt plus ce qu'il dit, on a l'impression qu'il parle avec une poignée de haricots dans la bouche. Il est sanglé sur son fauteuil comme sur une chaise électrique, le crâne maintenu contre l'appui-tête. Je ne peux soutenir son regard plus de six secondes. Je sais que je dois éviter les émotions fortes.
Je hausse vaguement les épaules. Les armes glissées dans ma ceinture me rentrent dans la chair — je les avais oubliées et elles redeviennent dures et brutales tout à coup.
J'indique un chemin à Marco et nous quittons la route qui s'éloigne vers le cœur de la forêt. J'ai repéré l'autre jour un endroit avec un cours d'eau et une vue sur la vallée. Je l'ai cherché longuement, sans savoir quoi au juste, puis je suis tombé dessus et j'ai été soulagé d'un poids. Je suis resté un moment à contempler le paysage

et lorsque je suis rentré, je suis allé directement boire un verre tant j'étais bouleversé. C'est affreux. Je n'ai pas envie de me remettre à boire mais c'est l'hyène qui rôde autour de moi dans la nuit noire, c'est elle.
Marco se range sur le bas-côté. Il n'y a personne. Je descends et il m'aide à décharger Walter dans son fauteuil. Je lui demande de rester là, de fumer une ou deux cigarettes tandis que je m'éloigne un peu avec mon ami. Il acquiesce en m'adressant un hideux sourire. Puis il me cligne de l'œil comme si je m'apprêtais à commettre une bonne farce. L'air est frais, mais la lumière est chaude, le ciel devient orangé.
« Ce type est un cauchemar », fais-je en poussant Walter vers le terre-plein où ne manquent ni le ruissellement d'un cours d'eau ni la vue — le frissonnement des jeunes feuilles dans les arbres, aux verts translucides, piqués de lumière, non plus.
« C'est hyper kitch, déclare-t-il entre ses dents. C'est censé me donner mal au cœur. Tu veux demander ma main, ou quoi. »
Je sors le poignard et le lui plante en pleine poitrine, d'un seul coup. Tout s'est passé en un éclair. Incapable de supporter sa souffrance une seconde de plus.
« Tu as mis le temps, dit-il. J'ai cru que ça n'arriverait jamais. Embrasse-moi, il nous reste quelques minutes, je pense. Détends-toi. Je ne sens rien. Je ne connais plus la douleur. »
Je lui caresse la tête, je pose mes lèvres sur son front, je tremble comme une feuille. J'enfonce le poignard

jusqu'à la garde d'une intense poussée — j'apprendrai plus tard que la pointe s'est fichée dans la colonne vertébrale.
Dans mon dos, Marco s'est approché et profère de multiples jurons, mais je le sens admiratif. Il siffle d'ailleurs entre ses dents. Je n'en ai que plus de plaisir à me tourner vers lui en lui braquant le Beretta sur la tête.
Je ne pouvais pas laisser cet imbécile derrière moi, de toute façon. Le doute s'était transformé en certitude et ce jour en était l'apogée. Je n'avais aucune envie d'avoir des comptes à rendre à la justice concernant la mort de Walter. Je me considérais moi-même assez puni d'être séparé de lui pour toujours sans que l'on ajoute à mon chagrin. J'étais la personne la plus punie au monde par sa disparition. Cela suffisait amplement. Je ne voulais pas de témoin. Marco moins qu'un autre. Je ne voulais pas partager cette scène avec lui.
Mais c'est au moment précis où j'allais presser sur la détente — où ses yeux s'écarquillaient, où se tordait sa bouche, où sa peau devenait bistre — que la main de Walter s'agita dans ma direction.

Un froid terrible, absolument inhabituel en cette saison, s'était abattu sur Stockholm. Me voyant sortir après le concert, tête nue, en pull, Amanda m'avait rattrapé quelques rues plus loin, du côté de Berzelli Park, et j'avais dû lui expliquer qu'une petite flamme brûlait en permanence dans mon cœur depuis que Walter était revenu à la vie, que c'était comme une petite pierre chaude posée dans le creux de mon estomac, de sorte que je ne sentais pas le froid.

«Je reconnais que c'est dingue, dit-elle.

— Oui, ils n'en savent rien. J'ai dû toucher quelque chose. Ils ne savent pas quoi. Ils sont dépassés. J'en ai pleuré de joie, tu sais, j'en suis resté abasourdi. Alors que j'étais là pour lui donner la mort, Amanda. C'est tout simplement incroyable. D'autant que j'ai failli lui transpercer le cœur.

— Tu es quelqu'un de chanceux, Daniel. Tu as ça. Mais ça ne te met pas à l'abri d'une bronchite. Et ce n'est plus l'heure des promenades, il est minuit. Alors, comment j'étais, dis-moi.

— Je te l'ai dit. Tu étais parfaite. Je peux te l'écrire, si tu veux.

— J'avais presque oublié ce que c'était. Seigneur Dieu. Je ne te remercierai jamais assez. Tu sais quoi. Je vais le faire gratuitement avec toi, désormais. Je ne veux plus voir un seul de tes billets de ma vie. C'est fini.

— Je t'adore, Amanda, c'est vraiment très gentil. Je suis très honoré. Mais je te l'ai dit, je vais tâcher de mener une existence plus tranquille.

— Ce sera tout à fait tranquille, je te le promets. Personne n'en saura rien.

— Non, le problème n'est pas là.

— Je n'essaie pas de te mettre la main dessus, Daniel. Tu te trompes, si c'est ce que tu crois. Je ne vais pas essayer de t'arracher des bras de Rachel. Par pitié. Si je devais choisir entre ma liberté et toi, je choisirais ma liberté, fais-moi confiance. Je n'ai sûrement pas l'intention d'emménager avec toi. Par pitié. Te voir, je ne sais pas, un soir par semaine, me suffirait. Ou un après-midi entier. Ce concert, par exemple, ça ne t'a pas donné envie. Je ne te crois pas. »

Elle avance une main vers mon pantalon, mais je l'arrête : « Écoute, que j'en aie envie ou pas, la question n'est pas là. Je ne vais pas coucher avec toi ce soir, Amanda, ni ce soir ni les soirs suivants, et ça m'attriste de voir que mon amitié ne suffit pas.

— Mon pauvre vieux. Je crois que tu es dingue. Tu te rends compte de ce que tu dis. Alors dis-moi ce que je fais là, dans ta chambre.

— Tu m'as suivi. Je suis venu prendre un manteau et nous faisons une halte devant le minibar.

— C'est tout. Et c'est tout. Tu ne vois rien d'autre.

— Oui, je te l'ai expliqué. Nous buvons un verre. C'est tout. Nous sommes les meilleurs amis du monde.

— Expliqué. Tu ne m'as rien expliqué du tout.

— Amanda, il est tard. Finis ton verre. Nous n'allons pas jouer à ce jeu jusqu'à l'aube. Et nous n'y jouerons plus à l'avenir, je compte sur toi. Ne parlons plus de coucher ensemble, tu veux. C'est désormais hors de question. Mais est-ce que je ne viens pas de t'offrir quelque chose de beaucoup plus fort. D'infiniment plus rare. Ce concert. C'était bon, n'est-ce pas. Tu crois que je ne sais pas ce que c'est. De la pure électri-

cité. De la pure lumière. La plus puissante des drogues, oh je sais. »
Elle hésite un instant puis fait demi-tour et disparaît en claquant la porte.
Je renonce à franchir de nouveau le seuil — par crainte de tomber sur elle dans le couloir. En vérité, ces deux heures de concert m'ont épuisé et je n'en prends conscience qu'à présent. Je suis littéralement vidé, de fait. J'appelle Walter. Il met un certain temps à décrocher mais je sais qu'il progresse chaque jour.
« Je ne te réveille pas, au moins.
— Ça va, je ne dors pas beaucoup.
— Ça me fait plaisir de t'entendre, Walter.
— Oui, tu m'as dit ça il y a quelques heures à peine.
— Avant le concert. C'était avant le concert. Maintenant, c'est après le concert. Et puisque tu me le demandes, c'était formidable. Il me tarde que tu reprennes les tournées avec moi. Ce soir, nous aurions pu nous balader.
— Oui, mais en même temps, tu m'as amoché, Daniel. Je ne suis pas près d'être sur pied.
— Je suis tellement heureux, malgré tout. Tu sais que c'est un miracle. Tu seras vite remis. C'est tellement bon de t'entendre, Walter.
— Encore une fois, je remercie le ciel que tu aies tenu parole. Sois béni. Sinon j'étais mort. Je suis encore bluffé que tu aies tenu parole. Tu m'impressionnes. Je sais que je te demandais beaucoup. En tout cas, une chance que tu ne m'aies pas égorgé, n'est-ce pas. »

J'entends un faible ricanement à l'autre bout du fil. Je souris. Walter est un miraculé. Si Rachel ne m'avait pas surpris l'autre jour avec le Beretta dans les mains, il aurait à présent une balle dans la tête, il aurait roulé dans les feuilles noires et pourrissantes de mars, quelque part au fond des bois. Il revient de loin.
Dès que nous rentrons, je laisse l'équipe s'occuper de mes bagages et je saute dans un taxi en direction de l'hôpital. Quand j'arrive, le soir tombe et les derniers flocons de l'hiver tourbillonnent. Je dois graisser quelques pattes pour entrer, signer quelques autographes, mais pour finir je parviens jusqu'à lui et je suis rassuré. Il réussit même à exécuter quelques pas raides du lit au fauteuil. Il doit faire attention, les blessures sont encore fraîches. Mais je le tiens dans mes bras un moment et je suis rassuré.
Je ressors. Il tombe une neige fine comme de la poudre. Je peux enfin souffler. Je lui ai parlé, je l'ai touché. Je ne l'ai pas vu depuis trois jours et ça m'a semblé une éternité. Il s'est redressé. S'enhardit. Il marche avec une canne. Lui aussi. Sa résurrection remonte à cinq jours et ses progrès sont étonnants. « Quand j'ai pu me toucher le nez, j'en ai pleuré, m'a-t-il raconté, et surtout me laver les dents. Pouvoir me laver les dents tout seul m'a comblé. Pouvoir me rincer la bouche. »
J'en fais une chanson. Elle me vient tout simplement à l'esprit tandis que je longe les berges qui blanchissent, elle s'installe, je la fredonne vaguement. En arrivant, je vais directement à mon studio et je m'enregistre. J'écris

quelques phrases sur un carnet. Je note les accords. Cette chanson doit presque tout à la joie que j'ai ressentie quand il a tendu la main vers moi pour m'empêcher de me débarrasser de Marco et cette joie ne m'a pas quitté depuis. C'est une chanson lumineuse, sans presque aucune ombre. J'espère que des millions de chômeurs viendront me remercier de ne pas donner l'image d'un monde trop noir, pour une fois. Georges va être satisfait. J'écoute le morceau plusieurs fois. Soudain, la porte s'ouvre. Rachel entre dans le studio. Je retire mon casque.

« Tu comptais venir me dire bonsoir, demande-t-elle d'une voix blanche.

— Ah, pardonne-moi, je suis désolé, mais une musique m'est venue en cours de route et tu sais ce que c'est. J'ai un drôle de métier.

— Je ne savais pas que tu étais rentré, alors j'ai appelé une ambulance. Mais c'est mieux. Je n'ai pas besoin de toi pour le moment. Je t'appelle dès que c'est fini.

— Non. Pas question. Je t'accompagne.

— Écoute-moi. J'ai envie d'être seule.

— Qu'est-ce qui est le plus important, que tu sois seule ou que j'assiste à la naissance de cet enfant.

— Ne sois pas vieux jeu, ne sois pas superstitieux. Que tu sois là ou pas ne changera rien.

— Peut-être, mais ça m'aurait fait plaisir. Nous aurions enfin eu quelque chose à partager, lui et moi. J'aurais pu lui dire : "Je ne t'ai pas conçu mais j'étais là quand tu es venu au monde, mon petit gaillard."

— Tu seras la première et la seule personne que je préviendrai, Daniel. Mais laisse-moi. Reste là. Je t'appellerai. »
Elle grimace. Lorsqu'elle m'apprend qu'elle a déjà perdu les eaux, je l'invite à s'asseoir et j'actionne l'ouverture du portail afin de pouvoir guetter l'ambulance. « Je ne sais pas ce qu'ils font, dit-elle en poussant un petit gémissement cette fois. Ils devraient être là. »
Je l'observe en fronçant les sourcils. La route demeure absolument déserte. Voyant qu'il neige de plus en plus fort, j'avertis Rachel que dans dix minutes nous allons être bloqués. Sa valise est prête. Nous nous dévisageons, immobiles, tendus, silencieux.
À l'aube, le calme revient — la fureur de la nuit se volatilise. Rachel s'est enfin assoupie et les infirmiers ont fini de ranger leur matériel déployé dans la chambre tandis que la sage-femme me demande de lui signer mon dernier album — son père, paraît-il, est fou de moi. Dehors, l'ambulance garée de travers devant la maison est recouverte de cinquante centimètres de neige. Il fait beau. Les visages sont fatigués. Je me suis conformé au souhait de Rachel et je n'ai pas cherché à être là, je n'ai pas cherché à rester près d'elle. J'ai laissé les nouveaux venus la prendre en charge et après leur avoir indiqué la chambre et signé je ne sais quels papiers, je suis descendu préparer du café et des sandwiches et j'ai commencé à tourner en rond puis à marcher de long en large tandis qu'elle se mettait à hurler à la mort et faisait trembler les murs de la maison — je

suis allé faire un tour dans le jardin vers quatre heures du matin et j'ai tenu aussi longtemps que possible dans le froid et la nuit, me mordant les lèvres, me bouchant les oreilles. Quoi qu'il en soit, une petite fille est née vers six heures et demie, au point du jour, et ce fut une délivrance pour tout le monde.

Je n'ai pas le droit de la prendre. Non pas que j'en aie une irrésistible envie. Mais je me sens écarté. « Je vais l'appeler Dona, me dit-elle. Tu la prendras plus tard. » Je réponds que rien ne presse. L'ambulance est repartie vaille que vaille. J'entrouvre les rideaux. Rachel semble avoir couru plusieurs marathons d'affilée, ses tempes sont encore humides, ses yeux se sont creusés. Je ne la touche pas. Mais à l'évidence, elle ne s'en rend pas compte. Je suis légèrement transparent, ce matin.

« Une infirmière viendra dans la journée, dis-je. Mais Dona c'est bien. Ça me plaît beaucoup.

— Tony voulait l'appeler comme ça, je dois te le dire.

— Ce brave Tony. Mais c'est sa fille, après tout. Il a le droit de l'appeler comme il veut. »

Elle ferme les yeux.

Je ne suis pas étonné que Tony revienne sur le tapis au plus mauvais moment. Je sais qu'il est toujours là. L'arbre que j'ai planté à l'endroit où il a rendu l'âme a perdu toutes ses feuilles — et pas tant à cause du vent glacé que du mal à reprendre racine — mais je sais qu'il n'est pas mort et qu'il va repartir. Rachel s'y arrête quelquefois et le regarde et je ne vois sur son

visage aucune tristesse, au contraire, j'y vois une grande assurance, une grande froideur.
À cet instant où nous aurions pu prétendre à une certaine intimité dans cette chambre — Dona dans son berceau, Rachel étendue sur le lit, rompue, et moi debout à ses côtés, tâchant de saisir l'ampleur de la chose —, cette intimité fondatrice et nécessaire, censée compenser ces histoires de paternité qui bouchaient en partie l'horizon, Rachel préféra évoquer sans attendre son ancien compagnon, celui qui avait nommé l'enfant après l'avoir conçu, ce qui flanqua tout par terre. Ce qui ruina tout espoir de démarrer sur de bonnes bases entre Dona et moi.
Mais je ne fis aucun commentaire. Mon rival était mort. Le temps pouvait jouer pour moi. Au fond, je n'étais pas pressé, je ne mourais pas d'envie de m'occuper d'un nourrisson. Je m'y serais sans doute mis plus ou moins si elle l'avait souhaité, mais après tout je n'allais pas me battre pour changer des couches si on ne me le demandait pas. J'avais un peu perdu le goût de jouer à la poupée, je m'en avisais, j'arrivais à un âge où la conscience du temps devenait plus vive.
Je sortis de la chambre sur la pointe des pieds car elles s'étaient toutes les deux assoupies et je retrouvai Isa dans la cuisine de bon matin, comme elle prenait ses fonctions, les joues encore rosies de l'air frais qui régnait au-dehors.
Elle grimaça en remarquant les serviettes de bain pleines de sang que je transportais dans une grande

bassine. Avant qu'elle ne reparte en courant je l'informai des événements de la nuit. Elle me félicita. Elle déclara que la joie ne se lisait pas sur mon visage.
« C'est ce que vous avez toujours voulu, non.
— Pas exactement de cette manière. »
Elle replaça une épingle dans son chignon. « On ne choisit pas toujours, dit-elle. Vous compliquez donc pas la vie. Elle est belle, au moins.
— Comment dire. C'est un nouveau-né.
— C'est ce qui a toujours manqué dans cette maison. Votre femme l'a toujours dit.
— Nous allons voir ça. Nous allons voir ce que ça donne. Ce n'est pas si simple. Ce type est toujours là. Plus que jamais. »
Elle ricana. Il était facile de ricaner. J'étais la seule personne au monde que cette histoire ne faisait pas rire. Georges était ravi. Une vieille rumeur courait sur mon compte. On prétendait que j'étais à mon meilleur lorsque ma vie sentimentale partait en morceaux et Georges trouvait que ce Tony avait mis un caillou dans ma chaussure et que c'était tout ce dont j'avais besoin.
« Tu es monstrueux, lui dis-je. Tu n'as pratiquement plus rien d'humain.
— Les oreilles, Daniel. Il me reste au moins les oreilles. Et c'est une chance pour toi. »
Je lève les yeux sur lui, il sourit. « Oh, fais-je. Vraiment. Vraiment. Tu trouves ça bien. Okay. C'est ce que tu voulais. Très bien. Vraiment. Dans ce cas sors ta bouteille et verse-nous à boire. Je l'aime bien. Je l'aime

vraiment bien, moi aussi. » Je m'enfonce dans mon fauteuil, je mets les pieds sur son bureau. Il sourit encore, presque paternellement. Il ne dit rien. C'est la preuve que c'est une très bonne chanson. Amanda y joue du tambour, elle a eu cette idée formidable. Je ne regrette pas de l'avoir engagée. Elle travaille dur. Elle n'est plus jeune, mais son jeu est encore frais. « Je te la recommande, si tu cherches une maîtresse. Viens la voir sur scène, viens voir ce tempérament. Tu meurs. »
De tempérament, Georges n'en manquait pas lorsque je l'avais connu et je peux témoigner de ses diverses conquêtes au fil du temps, mais sa vie sentimentale aujourd'hui, sa vie sexuelle aussi bien, pour autant que je sache, sont inexistantes. Il a dix ans de plus que moi, mais il est mince, il a gardé ses cheveux, il s'entretient, son territoire de chasse est encore vaste. Quand je lui en parle, il se contente de sourire et change de conversation, mais j'ai remarqué comme il a détaillé Amanda la première fois, dans ce bureau même, et le fait était assez rare pour que je l'aie noté.
« Ça lui ferait plaisir », dis-je. Il répond : « Pourquoi pas », tandis qu'il semble penser à autre chose. J'ai la vague intuition que s'il devenait l'ami d'Amanda, tout irait beaucoup mieux.
Rachel commence par refuser de jouer les entremetteuses. Elle s'énerve, elle claque les portes, elle est rouge de colère. Puis elle se fige et finit par accepter d'organiser un repas à condition de ne pas les avoir en tête à tête. « Mais n'attends rien de particulier de ma

part, n'attends rien de moi d'aussi grotesque. Nous ne sommes pas une agence de rencontre, Daniel. »

J'acquiesçai. Mais j'étais surpris par la réaction de Rachel, ça ne lui ressemblait pas. Encore l'un de ces changements que j'attribuais à son épisode avec Tony — cette fois une froideur singulière et une certaine agressivité à mon égard.

À ce qu'il me semblait — car je n'avais pas encore été autorisé à réintégrer la chambre —, elle ne dormait pas beaucoup. Dona se réveillait plusieurs fois dans la nuit et piaillait de toutes ses forces — du studio, je n'entendais rien, je voyais simplement de la lumière à sa fenêtre si j'ouvrais un œil. De même sa nervosité s'expliquait-elle tout simplement, me disais-je, de même les épreuves qu'elle venait de traverser la lavaient-elles de tout soupçon d'indifférence ou d'animosité particulière à mon égard, et j'en restais là, je ne cherchais pas plus loin, je me rendormais.

Je savais que quelque chose m'échappait. Depuis le début. Mais je ne savais pas quoi, je n'avais aucun indice. Je sentais que cette chose était terrible, énorme, mais j'étais incapable d'élaborer la moindre stratégie.

Cette énorme chose approchait. Je ne la voyais pas mais je la sentais — elle occupait parfois un tel espace que la pièce où je me trouvais me paraissait tout à coup trop petite et je devais sortir pour ne pas étouffer, pour ne pas être comprimé contre un mur. Je terminai pourtant les paroles de ma dernière chanson et l'enregistrai en deux jours dans un studio du centre. La

seconde prise fut la bonne. Elle dure quatre minutes dix-sept et il n'y a pas une seconde de trop. Amanda voulait essayer une voix sur le refrain et je lui dis à la fin du morceau à quel point j'apprécie son intervention et elle éclate de rire — ce rire, ces quelques mots de remerciement, ont été enregistrés et nous les avons gardés sur l'album.
Le bonheur d'Amanda est palpable. Ce qui m'inquiète, c'est qu'elle ne paraît pas reprendre le dessus, physiquement. Sa pâleur m'effraie. Certes, un feu couve en elle et jouer était ce qui lui manquait, mais ça ne suffit pas pour la hisser sur la rive. Je ne la vois pas remonter la pente. Durant les deux jours où nous avons enregistré, j'ai essayé de lui faire manger de la viande rouge mais j'ai bien vu qu'elle n'avait pas d'appétit. « Mais maintenant, tu vas m'oublier avec ça, me lance-t-elle avant même que j'ouvre la bouche. Tu en as fait assez. Ne t'occupe plus de ma santé, tu veux. Daniel, laisse-moi, tout va bien. »
Nous organisons cette soirée censée favoriser le contact entre les deux. Nous sommes une bonne vingtaine pour finir. Rachel ne voulait pas que nous ayons l'air de provoquer quoi que ce soit de particulier — elle pensait qu'elle ne survivrait pas à la honte qui s'abattrait sur elle si l'on apprenait à quelles misérables petites combines elle prêtait ses talents d'hôtesse. Il y a aussi quelques enfants qui vont devenir très vite insupportables et qu'il faudra rassembler dans une chambre avec leur smartphone et leur carton de pizza afin que

leurs parents puissent boire et se défoncer tranquillement sans se soucier de la baby-sitter. Il y a également une chienne, Georgia, que Georges impose à tout le monde.
Et il se passe alors cette chose extraordinaire : au moment où la soirée commence, au moment où Georges arrive et se présente à l'entrée, sa chienne lui échappe des mains et file aussitôt vers Amanda et lui saute sur les genoux.
Georges en reste bouche bée. Amanda éclate de rire. Je me penche à l'oreille de Rachel et lui souffle que l'affaire est d'ores et déjà réglée.
« Ce n'est pas ce que je vois, répond-elle sur un ton agacé. Rien n'est joué. Cette chienne est folle. »
Rachel ne porte pas Amanda dans son cœur. Pourquoi se réjouirait-elle d'un succès de la nouvelle venue, de cette « vague putain » comme elle dit. Elle passe une partie de la soirée à les épier. Je l'observe. Pour finir, elle concède qu'Amanda est en train de l'emporter.
Je la regarde droit dans les yeux. « Je trouve que ça simplifie les choses, Rachel.
— Assurément pas. Apparemment seulement. »
De guerre lasse, elle s'accroche à mon bras et nous faisons le tour de nos amis et nous vidons quelques verres en gardant un œil sur le babyphone branché dans la chambre de Dona. Je suis sur le point de regretter d'avoir invité Brad qui monopolise l'attention et tient à conserver un bonnet de laine sur la tête alors que la maison est parfaitement chauffée, mais, pour la

plupart, les femmes présentes me sont reconnaissantes de l'avoir fait. De vraies groupies. Rachel la première — qui m'abandonne à la seconde où il tend la main vers elle pour une raison quelconque. Joël ricane dans mon dos. Il faut le connaître pour savoir qu'il est ivre.
« Toutes les mêmes, dit-il en portant une coupe à ses lèvres. Regarde-les. Parlons un peu de leur âge mental.
— Non, sûrement pas. Tâchons de passer une bonne soirée.
— Regarde-les. Elles sont lamentables.
— Dis-moi. Tu ne remarques rien. Est-ce que je rêve ou il se trame quelque chose entre Georges et Amanda. »
Lorsque je tourne la tête pour les chercher du regard, je ne vois qu'Amanda.
« Un truc de quel genre », me demande Joël.
Je sors pour échanger quelques mots avec Walter qui veut avoir des nouvelles de la réception. « C'est en bonne voie. Je crois. Je crois qu'on est moins expansif à partir d'un certain âge. Ils n'allaient pas se sauter au cou.
— Rachel en pense quoi.
— Quelle importance. Personne ne va lui demander son avis. »
Je crois qu'il a raccroché. Mais il reprend : « Fais-moi sortir le plus vite possible, Daniel. Je ne tiens plus, là. »
Les nuits sont encore froides. Une lune brillante clapote et fume sur le lac tandis que les berges disparaissent dans l'ombre broussailleuse et qu'une famille de cygnes à la blancheur extravagante glisse le long du

bord. Je rentre avant d'avoir froid. En passant devant le babyphone, je tends l'oreille et j'entends Dona pleurnicher et quelqu'un se met à fredonner un air.
Je monte. Je trouve Georges planté devant Dona, totalement absorbé, imprimant au berceau un vague mouvement pendulaire et fredonnant un air mezza voce. Me découvrant, il sourit. « Elle pleurait, déclare-t-il à voix basse. Ça va mieux, maintenant. Dis donc, elle est magnifique.
— Tu n'as rien à faire là. Dehors.
— Bien sûr. Prends le relais.
— Je n'apprécie pas beaucoup ton initiative, Georges. »
Je le regarde sortir à reculons, une grimace navrée, piteuse. Il n'a pas d'enfant. Autrefois, nous parlions de cette douleur de ne pas être pères, de ce manque dont nous ne faisions état qu'entre nous. À cette époque, nous étions très liés. Il n'avait pas encore vendu son âme au diable. Nous passions le plus clair de notre temps ensemble, faisions de longues tournées, de la thalasso, des voyages à l'étranger — avant que je ne rencontre Rachel, mais aussi après, en particulier lorsque j'étais devenu persona non grata dans ma propre maison parce que j'avais couché avec une femme qui n'était pas la mienne. Il avait été mon meilleur ami durant toutes ces années et nous avions tenu bon jusqu'à ce qu'on lui offre un bureau avec une vue époustouflante et quelques actions de la boîte. Je me demande ce qu'il ressent aujourd'hui. Si la compagnie d'un animal lui suffit. Mais nous ne pouvons

plus aborder ce genre de sujet, à présent. Nous avons changé.

Quand je descends, il me prend par la manche. « Tu dois accepter mes excuses, dit-il. C'est tellement mal élevé de ma part, tellement sans-gêne. C'est terrible d'être ainsi. Je te conseille de me condamner ta porte à l'avenir.

— Très bien. N'en faisons pas une montagne. Regarde. Occupe-toi d'Amanda. Tu la vois. Ne la laisse pas seule. Va lui servir un verre. »

Dès qu'il tourne les talons, Rachel vient me demander s'il y a un problème avec Georges et je dis non, ma chérie, aucun problème avec Georges.

Avec l'appui de Joël, j'obtiens la sortie de Walter le lendemain. Il en pleure presque de joie. Une infirmière doit venir faire ses pansements deux fois par semaine et vérifier que tout se passe bien. Je le serre un instant dans mes bras. Avec précaution. Je sens qu'il est encore faible, qu'il ne tient pas encore très bien sur ses jambes. Je lui prends le bras tandis qu'il s'installe dans la voiture comme un homme qui craint de casser des œufs et dont on ne sait si le visage trahit une joie intense ou une douleur extrême. Ce sont les premiers jours du printemps, il fait beau, certains arbres sont déjà en fleur.

« Je veux récupérer ma moto dès que possible, déclare-t-il. J'ai hâte d'aller faire un tour.

— Mais c'est formellement déconseillé. C'est beaucoup trop tôt. Un coup de vent et tu vas t'envoler. »

Nous remontons à la maison. Nous enfilons des com-

binaisons, prenons nos casques et enfourchons la Norton. Comme le siège n'est pas adapté nous sommes serrés, mais c'est ça ou rien, je l'ai prévenu. Il referme ses bras autour de ma taille, nous faisons un peu de vitesse et revenons par les petites routes, zigzaguons à travers les bois avec le lac en contrebas. C'est moi qui conduis. Balade horriblement inconfortable, qu'aussitôt il qualifie de magnifique, d'enivrante. Je remercie le ciel de ne pas avoir croisé un paparazzi. Je n'ose même pas penser ce qu'il aurait pu imaginer.
Au retour, je propose à Walter d'occuper le studio tant qu'il se sentira trop faible pour se déplacer seul. « Réfléchis avant de dire non. Montre-moi que tu n'es pas stupide. Quand on reçoit une nouvelle vie, on doit s'en montrer digne. Suis mon conseil. Débarrasse-toi de ces maudites vieilles rancunes envers ta sœur, ne traîne plus ces affreux boulets. Elle est venue te voir. Elle t'a embrassé. Est-ce qu'on ne pourrait pas tourner la page. C'est le printemps, tu reviens d'entre les morts, tu vas bientôt pouvoir courir, tu n'as pas envie d'oublier tout ça, sincèrement. »
Il regarde ailleurs. Il réfléchit. « Alors pour toi, me dit-il. Je vais le faire pour toi. Je vais tâcher d'éviter les conflits avec elle, pour te prouver ma bonne volonté, pour te remercier. Mais à condition qu'elle se tienne tranquille, d'accord, n'en attends pas davantage de moi, Daniel. Ne me demande pas l'impossible. Je suis son frère. C'est quelque chose que tu ne peux pas comprendre. »

Il soutient mon regard. Pas aussi fermement que je l'aurais souhaité, à dire vrai. « Si tu me caches quelque chose, Walter, et que je l'apprends. »
Il s'installe pour quelques jours. Le soir même il accepte un dîner à trois, ce qui me laisse absolument sans voix. Et Rachel ne dit presque rien, et lui grommelle dans sa barbe. Mais nous avons avancé à pas de géant en un temps très court.
« Est-ce que tu souffres, lui demande-t-elle.
— Ça peut aller. Ça va. »
Je me lève pour chercher du vin. Je me rassois.
« Ça va, toi, après ton accouchement, lui dit-il.
— Oui, disons. Ça va. Après mon accouchement. »
Je goûte le vin. « Pas mal, ce vin. Pas mal. »
De temps en temps, on entend des bruits d'animaux, l'aboiement d'un chien, le cri d'un oiseau de nuit.
Certes, il ne s'attarde pas. Pas plus qu'il ne la regarde. Mais quels progrès, encore une fois. Il se lève. Il chancelle un instant. Elle tend la main pour le retenir mais il se redresse aussitôt et s'écarte. « Merci pour le repas. Je suis content d'être sorti », déclare-t-il d'une voix faible, assez peu convaincante, le front baissé. Pendant ce temps la glace fond dans l'assiette, imbibe la tarte aux pommes qui ramollit. Nous le regardons traverser le jardin et marcher vers le studio en prenant appui sur sa canne.
« C'était un plaisir de l'avoir à dîner », soupire Rachel. J'examine ma tarte du bout de ma fourchette et on dirait du chewing-gum. Je repousse mon assiette. « Il a

fait un gros effort. Ne lui enlève pas ça. » Elle allume une cigarette. Elle me regarde. Elle me fixe intensément durant quelques secondes mais je ne sais si je dois me sentir menacé ou pas, je ne sais pas quel type d'ondes elle m'envoie, je ne sais rien, je ne reçois plus aucun message de sa part, elle m'a déconnecté.

Je pars deux jours, et lorsque je reviens, ils ne se sont pas entre-déchirés. Walter paraît même en meilleure forme. Je rapporte du jambon de la Forêt-Noire et du pain au fenouil. De l'aéroport. Je suis mort. Des concerts de deux heures, épuisants, régénérants. Contrairement à moi qui ne transpire pratiquement pas, Amanda derrière sa batterie semble être passée sous une douche et le public adore ça, le public adore les vieilles femmes sexy dans leur tee-shirt mouillé — même si elles sont un peu maigres. Je donne ces informations à Rachel pour la taquiner mais je vois bien qu'au fond elle s'en fiche totalement. Ce qui l'intéresse, c'est ce type qui l'a baisée et qui lui a fait un enfant. Voilà ce qui l'intéresse. Rien d'autre.
« Ah, ne me parle pas de ce petit connard, me dit Georges. Je me demande ce qu'elle s'est imaginé. Les femmes, tu sais, parfois, on ne les comprend pas. Ce Tony, ce musicien médiocre.
— Aucune chaleur, aucune âme, confirmé-je. Il se contentait de jouer les notes.
— Ne me dis pas qu'elle pense encore à lui. Ce n'est pas possible. C'est une blague.

— Il a baptisé Dona. Du fond de sa tombe. Il a décidé qu'elle s'appellerait Dona.
— J'aime bien Rachel, tu le sais. Je la connais depuis longtemps. Mais là, je ne la suis plus. Tony n'était qu'une pauvre andouille, non. Ne me dis pas qu'elle a été aveugle à ce point. »
Nous sommes installés devant sa baie, un whisky à la main, il fait encore jour mais le ciel est assombri par une pluie torrentielle, il y a des éclairs, des lueurs qui courent sur l'horizon, des trombes d'eau s'abattent en tournoyant dans l'avenue, se fracassent contre l'immeuble, l'éclairage urbain s'allume, tout devient luisant, tout devient très beau et nous rend essentiellement pensifs — nous avons vidé une demi-bouteille de Yoichi.
« J'ai envie de le sortir avant l'été, dit-il. On fait quelques gros festivals puis tu pars en tournée jusqu'à Noël.
— Oui, nous verrons ça. Il y a cet enfant, maintenant. Je ne peux pas être absent trop longtemps.
— Ah, ne commence pas. Sois professionnel. Tu sais qu'ils détestent ça. Tu peux adopter autant d'enfants que tu veux à condition que ton travail n'en souffre pas. Ils ne te laisseront plus faire comme avant. Ils tiennent les commandes. Tu sais, ils ont eu les cheveux longs autrefois et ils ont porté des pantalons pattes d'eph', mais ne compte pas là-dessus. Il n'en reste rien. Aujourd'hui, ils portent des boutons de manchette.
— Je vais regarder ça avec mon avocat. L'artiste a des

droits. Je veux pouvoir rentrer tous les trois jours. Je refuse de sacrifier ma famille au show-business.

— Tu n'es pas un peu vieux pour jouer au jeune papa. Tu n'as rien de mieux à faire. Il s'agit de ta carrière.

— Une semaine au maximum. Suivie de trois jours de repos. Ça grandit vite, il faut en profiter.

— N'exagère pas. Ce n'est pas comme si c'était vraiment ta fille.

— *Elle est vraiment ma fille.* De quoi te mêles-tu. C'est l'enfant de Rachel et Rachel est ma femme, tu ne le sais pas peut-être. Alors arrête. »

Il hoche lentement la tête. Nous buvons un dernier verre. Il appelle sa secrétaire et annule ses derniers rendez-vous de la journée. Nous descendons au parking souterrain. Il monte dans sa voiture. Je le suis. Il tombe tellement d'eau du ciel que je me crois dans un scaphandre. Georges possède une maison sur les hauteurs. Une villa moderne, de plain-pied, jouissant d'une vue exceptionnelle — une constante, chez lui, son talon d'Achille.

Nous nous garons sous l'auvent, filons nous réfugier à l'intérieur. Je n'ai jamais aimé cette maison car c'est avec mon sang qu'il l'a achetée. Je plaisante. Georges en a fait l'acquisition au moment où il a basculé dans l'autre camp — véritable coup de tonnerre dans le ciel bleu, si soudain que n'ayant d'autre explication à fournir j'ai fini par admettre que c'était l'argent, uniquement l'argent, qui l'avait poussé à me trahir. Il y avait eu un énorme chèque à la clé. Sinon quoi.

Nous entrons. Le buffet est déjà installé. Georgia a couru sous la pluie, elle est trempée comme une soupe. Elle s'ébroue devant la cheminée. Une femme vient pour essuyer le sol. Georges me sert un verre et nous piquons quelques olives.
« Oui, ce sont des Japonais. Et alors. Qu'est-ce que tu as contre les Japonais. Quoi, pendant la guerre. Quoi pendant la guerre, merde. Tu n'étais même pas né, espèce d'idiot. Daniel, je ne te demande pas de leur faire un concert privé. Je ne parle que de deux ou trois titres, c'est tout. Sans rien. Toi seul. Ça ne te prendra qu'une dizaine de minutes. Ce sont de gros investisseurs, tu sais. Ils sont très importants pour nous. Ce serait vu d'un très bon œil, ici, que tu leur fasses un cadeau de ce genre. Surtout avec les deux dernières. Ce sont de vraies merveilles, Daniel. Elles font déjà partie de tes meilleures chansons. J'en attends beaucoup. En tout cas, ces Japonais-là sont des fans absolus. Ce serait formidable. »
J'invite Georges à patienter un instant et j'appelle Walter. Je lui détaille la demande que je viens de recevoir et il me dit : « Parfait. C'est une très bonne chose. Passe-le-moi. »
Je les laisse discuter. Georges se met à marcher dans le salon. J'en déduis que Walter va plutôt bien. C'est un immense soulagement. Le soir, quand je lui rends visite dans le studio, je le trouve mieux, physiquement, je vois qu'il reprend des forces, qu'il renaît, mais son esprit est encore ailleurs. C'est cependant un grand soulagement, une joie d'entendre Georges, ce soir, me

confirmer que Walter est revenu parmi les vivants. « Plus tordu que jamais, le fils de garce », enrage-t-il.
Georges m'a vendu contre cette maison. J'ai toujours vu les choses ainsi : à ses yeux, je vaux le prix de ce tas de briques à la Mallet-Stevens. C'est à la fois beaucoup et peu. Chaque fois que je devais y entrer, le poids de cette affirmation s'abattait sur moi. Lorsqu'il était venu m'annoncer qu'il mettait fin à notre association et que je n'allais pas apprécier quand j'apprendrais que la maison de disques lui avait fait un pont d'or qu'il n'avait pu refuser, je m'étais contenté de sourire, et je m'étais assis. J'avais failli avoir une crise ensuite mais seuls les muscles de ma nuque s'étaient détendus et ma tête était tombée un instant sur ma poitrine. « Parle-moi. Ne fais pas l'imbécile », avait-il gémi tandis que je reprenais mes esprits trois secondes plus tard. « Lâche-moi. Va te faire foutre », lui avais-je répondu en l'écartant de mon chemin.
Cette idée qu'il m'avait plus ou moins échangé contre ces murs m'était singulièrement odieuse, et aujourd'hui encore, je ne pouvais les franchir en ayant autre chose que sa forfaiture à l'esprit. Je lui en voulais. Je ne refusais pas que nos rapports redeviennent bons, et même j'estimais qu'ils pouvaient presque redevenir ce qu'ils avaient été, mais il n'y avait aucune chance que nous retrouvions le niveau de complicité que nous avions connu. Il y avait cette maison entre nous. Et en dehors de la raser, je ne voyais pas.
Les Japonais sont arrivés vers huit heures.

Chaque matin, Walter se rend à la piscine et il nage durant une heure. J'engage Amanda à l'imiter mais mon conseil ne trouve pas d'écho. « Demande à ton ami Georges s'il a eu à se plaindre, me dit-elle. Puisque tu ne veux pas te rendre compte par toi-même. Demande-lui si j'ai besoin de faire des longueurs. »
Je ne relève pas sa proposition. Je lui annonce que nous allons commencer à enregistrer et sur-le-champ, ses accents vindicatifs disparaissent. Je lui donne des dates. Quand je raccroche, j'entends Dona pleurer. Je monte. Il est encore tôt. L'aube se diffuse à peine à l'étage. Elle hurle. J'entre. Je m'approche. Me penche. Là. Et je la prends. Je la soulève de son berceau. Pour la première fois. Je la tiens entre mes mains. Je pense qu'il va se passer quelque chose. Que je vais être foudroyé. Que mon cœur va s'ouvrir. Mais non, il ne se passe rien, je ne sens rien, absolument rien. Je la tiens à bout de bras et je la regarde. Elle tremble de rage. Alors je la mets contre mon épaule et elle finit par se calmer quand je bouge et que je lui caresse le dos et que je fais des bruits avec ma bouche. Elle se rendort vite. Me retournant, je découvre Rachel dans l'encadrement de notre chambre, qui me regarde, échevelée, qui est nue, qui est dubitative.
Je repose Dona sans tarder afin de rejoindre Rachel dans la chambre.
Mémorable matinée. Car c'est bien entendu notre première fois depuis l'accouchement — en témoigne le

canapé où gisent mes draps et ma couverture, à l'autre bout de la chambre — et c'est globalement satisfaisant en dépit du fait qu'au moment de jouir elle me frappe au visage et m'agresse en gémissant comme si j'étais son pire ennemi.

Plus tard, elle me rejoint en bas pour le petit déjeuner.

« Sommes-nous obligés d'en parler, me demande-t-elle.

— J'ai dû te faire quelque chose dans une autre vie, je ne vois que ça, plaisanté-je en homme accommodant.

— Non, c'était contre moi. Tu t'es trouvé là au mauvais moment. »

Je hoche gravement la tête. Je me caresse le menton. Je ne crois pas utile de poursuivre cette conversation. Je sais qu'il y a quelque chose et que je n'ai rien à voir avec cette chose. Je le sais depuis longtemps. Mais je ne sais pas de quoi il s'agit et je ne cherche plus à le savoir — je me satisfais de cette certitude inutile, de la torpeur de mon intime conviction. Ce sentiment mystérieux, ce sentiment d'une partie qui se jouerait dans mon dos, remonte à loin. Aux heures noires qui ont suivi le séisme que j'avais provoqué en couchant avec une autre femme, à ces années difficiles que nous nous étions infligées ensuite.

Walter sait de quoi je parle. Mais chaque fois que j'ai abordé ce sujet avec lui, il s'est refermé comme une huître et a juré qu'il ne comprenait rien à ce que je racontais, que je délirais tout simplement.

Ce soir, il donne une fête, chez lui, pour son retour parmi les vivants. J'y passe vers minuit après un dîner

avec Georges et quelques trentenaires maison à la fine petite moustache et au corsage ouvert censés s'occuper de ma promotion. Ils sont gentils mais parfaitement ennuyeux, mais mortellement vides — Georges lui-même, qui mange au même râtelier, l'admet avec un haussement d'épaules. Je le laisse entre leurs mains — tout ne peut être absolument rose, Georges. En arrivant chez Walter, je cherche aussitôt un verre. C'est une très mauvaise habitude. Il y a toujours une bonne excuse. Je parle avec un bassiste que j'ai croisé quelquefois et qui a le même problème. Trop boire. Nous discutons de ce souci en buvant un peu de chardonnay et envisageons de collaborer — il est le portrait craché d'Allen Ginsberg et porte des chemises à manches courtes, mais il est excellent, il s'est produit avec les meilleurs. Il était à l'enterrement de Tony.
« Ce pauvre Tony, me dit-il. Votre femme lui en a fait baver, vous savez. Ça ne me regarde pas, mais bon. Sur la table de mon frère. Qui était son meilleur ami. Je l'ai vu pleurer sur la table de mon frère, dans sa cuisine. Elle le traitait comme un chien, il faut dire ce qui est, hein. »
Je regarde le gars. Nous sommes accoudés au bar, assis sur de hauts tabourets. Je regarde le gars.
« Alors, comment c'était », grommelle Rachel que j'ai à demi réveillée malgré mes précautions. En retirant mes bottines. L'une est tombée.
« Sans aucun intérêt. Je n'ai fait que passer. » Je finis de me déshabiller en silence. Je vais à la salle de bains, je

reviens, je m'allonge près d'elle. Les volets sont tirés mais un pâle clair de lune se dessine entre les rideaux et la chambre baigne dans une pénombre bleutée. Elle me tourne le dos. Je viens me coller contre elle. De nouveau, elle dort. Je tire le drap sur ma tête pour m'enfermer dans son odeur. Je ne veux penser à rien. J'écoute *Familiar* de Nils Frahm au casque. Merci, mon vieux, merci.

Je n'ai pas de mal à trouver le numéro du frère. Je l'appelle à la première pause, dès que nous lâchons nos instruments.

« Ça fait quoi d'avoir épousé une telle garce, me demande-t-il.

— Ça détruit », dis-je.

Ainsi, j'en apprends un peu plus. Que Tony n'a été qu'un pantin entre les mains de Rachel. « Mais va savoir ce que ça cachait, me dit-il. Va savoir ce qu'elles ont dans le ciboulot.

— Ne m'en parle pas, mon vieux. Ne m'en parle pas.

— Mais cette femme. Tu as tiré le bon numéro, je te le garantis. Ah, je te plains.

— Oui, ce sacré caractère qu'elle a. On ne s'ennuie pas avec elle.

— Ce pauvre Tony. Tu sais ce qu'elle a fait. Elle l'a démoli. Dé-mo-li. Elle n'a eu aucune pitié.

— Je la reconnais bien là. En même temps, c'est fascinant, remarque.

— Mon cul. C'est fascinant mon cul. J'ai vu Tony s'enfoncer mois après mois, j'ai vu ce qu'il a enduré jusqu'à la fin. Mais cet imbécile était fou d'elle. Y avait rien à faire. Oublie. Je te dis pas le nombre de nuits où il l'a attendue. Je te raconte pas les poignées de cheveux qu'il s'est arrachées. »

Le plus drôle était que non loin de là, à cette époque, je devais être en train de noyer mon chagrin de mon côté. Haïssant cet homme. Que j'aurais volontiers jeté au fond d'un ravin. Ce Tony. Alors qu'il n'était qu'un musicien sans âme, pris au même piège que moi.

Je l'avais mal jugé. Mais c'était le risque lorsque l'on prenait la femme d'un autre, de ne pas paraître sous son meilleur jour.

Je retournai jouer. Au fond c'était la musique qui était essentielle. Amanda donna le tempo à la baguette sur le bord de la caisse claire, tic tic tic tic, et on lui emboîta le pas comme on se coule dans un bain tiède, la mine réjouie. J'étais satisfait de mon nouveau bassiste — qui portait également des polos à manches courtes et buvait peu dans la journée —, les autres le trouvaient excellent et ils étaient excellents eux-mêmes, c'était un vrai plaisir de jouer avec eux et de voir qu'ils s'entendaient, qu'ils grandissaient ensemble. Walter me faisait des signes derrière la vitre. Il levait son pouce. Ou encore il brandissait sa canne en signe de victoire, ou lançait un uppercut dans l'air à la fin des prises.

« Tes deux dernières, fit-il en secouant la tête. Elles sont à tomber par terre. Elles tuent. » J'opinai en l'observant. Je ne pouvais croire qu'il n'était au courant de rien. Il était trop intelligent, trop sensible. Il connaissait Rachel bien mieux que moi, je l'admettais volontiers, rien de ce qui concernait sa sœur ne lui échappait, mais il persistait dans son silence malgré mes prières ou mes menaces, il faisait l'imbécile. J'aurais préféré avoir son avis sur ce nouvel éclairage, sur cette nouvelle version des faits, sur ce ballet des masques et cet art de la dissimulation que Rachel pratiquait à merveille et dans quel but, plutôt que de recueillir ses éloges de mes dernières chansons. Mais Walter n'avait jamais rien lâché, pas de quoi remplir le fond d'un dé à coudre.

Dès lors, la question d'un troisième larron dans l'histoire se posa. Elle ouvrait sur un territoire inconnu, inattendu, immense, aveuglant, et ce désert donnait le vertige. Le mystère était absolu. Je tombais des nues comme Walter sans doute lorsqu'il avait découvert que derrière Tony se cachait un autre homme — ou quelque autre secret inavouable. Une histoire semblait toujours partir du simple pour aller vers le plus compliqué — aucune histoire ne se dénouait, toutes les histoires se nouaient.
Ce soir-là, en rentrant, tandis que le portail s'ouvrait, j'eus un regard dénué de toute antipathie envers l'arbre commémorant l'accident qui avait emporté Tony.
« Il repart bien, déclarai-je à Rachel à propos de l'arbre en question. J'ai vu les bourgeons. J'irai le couvrir si de fortes gelées reprennent. »
Nous passons notre temps à nous dévisager — à la dérobée, et lorsque nous sommes surpris, nous feignons

l'incompréhension, l'innocence, l'erreur sur la personne. J'ai l'impression qu'elle cherche chez moi ce que je cherche chez elle.
Dona est là. Elle dort. Il paraît qu'elle a pleuré une partie de l'après-midi et je suis content d'avoir évité cette épreuve. Rachel est éreintée. Je ne sais pas comment elle ferait s'il n'y avait pas Isa.
« Je viens d'apprendre que le frère de mon nouveau bassiste était le meilleur ami de Tony. Tu as dû le connaître.
— Bien sûr. Je vois très bien qui c'est. Mais les amis de Tony n'étaient pas les miens.
— Et alors, je n'en reviens pas, le torchon brûlait entre vous deux. C'est ce qui se dit, en tout cas. Que tu ne rentrais pas souvent à la maison.
— Tu vas t'y mettre, toi aussi. À colporter ces infamies. Il ne manquait plus que ça.
— C'est ce qu'on entend, c'est tout. Je te répète ce qu'on entend.
— Daniel, j'attends de toi que tu prennes de la hauteur. Le passé est le passé. Ce qui est fait est fait. N'y revenons pas » — *je lui flanque mon poing dans la figure, je lui écrase le nez, son sang gicle* — « regarde-moi, Daniel, il faut que l'on soit d'accord là-dessus. Je n'ai rien à te dire sur Tony et moi. Rien du tout.
— C'est juste le parallèle qui est drôle. Que tu lui aies fait subir le même sort qu'à moi. »
Elle ne répond pas, son visage n'affiche aucune réaction. Elle allume une cigarette électronique et se tourne

vers la baie, dans la nuit presque noire. « Il n'y a qu'une chose que tu dois savoir, finit-elle par m'annoncer d'une voix sourde. C'est toi, Daniel, et personne d'autre, c'est toi qui as foutu ma vie en l'air. Tu nous as fait dérailler, putain. Tu le sais. »
Je propose que nous buvions un verre. Je n'ai pas l'intention de provoquer un incendie en la contredisant. Je ne lui rappelle pas quelle grenouille de bénitier elle était à l'époque où elle m'avait surpris avec cette femme et donc les proportions démesurées que l'affaire avait prises pour ce qui n'était pas même une aventure, mais une vague, impondérable coucherie. C'était son besoin de vengeance qui avait foutu sa vie en l'air, sa colère, son entêtement, son hubris, mais je ne relève pas. Avec le temps, je mesure mieux ce qui vaut la peine, et remettre les gants contre Rachel suppose que le jeu en vaille la chandelle. Or ce n'était pas le cas. Je n'avais pas grand-chose à y gagner. Mettre au jour ce qui est caché est source d'ennuis le plus souvent.
Que m'importait de découvrir les dessous d'une affaire qui ne me concernait pas directement avec le risque de dresser Rachel contre moi. La sagesse venait vers moi. À cinquante-trois ans, la sagesse venait enfin vers moi. Comme elle donne le sein et que je suis un homme raisonnable, je lui presse une orange. Je découpe une rondelle de concombre pour mon gin. Au début, lorsque nous étions vraiment mari et femme et qu'elle me suivait dans mes tournées, nous nous enfermions dans les loges, deux heures avant le début des concerts,

et nous restions seuls, nous ne voulions plus voir personne, elle me tenait dans ses bras, je me relaxais, et nous avions toujours du gin et des jus frais, puis à la fin elle me massait, elle me coiffait, elle me maquillait et elle priait pour moi, ce qui ne m'ennuyait pas du tout — pas plus que cette médaille de la Vierge qu'elle avait pendue à mon cou et qu'elle m'arracherait brusquement plus tard en découvrant mon forfait, en me vouant aux enfers. Je n'ai pas de nostalgie particulière de cette époque où la presse nous présentait comme le jeune couple idéal, mais le contraste avec les années qui suivirent fut saisissant, quand les scandales et les beuveries eurent éclaté, quand Rachel eut décidé de prendre des amants et de m'humilier en public et que nous finissions sur le trottoir, à nous battre comme des chiffonniers ivres. Il n'y avait pas une mère, dans tout le pays, qui m'aurait voulu pour gendre. Pas un père qui aurait souhaité une telle femme pour son fils. Entretemps, nous avions été informés que nous ne pouvions pas avoir d'enfant et nos affrontements avaient pris un tour nouveau, s'étaient nourris d'une folle acidité et étaient repartis de plus belle.

Nous trinquons en silence. Je dirais qu'en dehors du sexe, nous n'avons pas échangé grand-chose depuis son retour. Les choses ne vont pas mal entre nous, mais elles ne vont pas bien non plus. C'est difficile à dire. J'admire la force des sentiments qui nous lient mais en même temps ils oppressent. En fait, j'ai perdu cette femme il y a très longtemps et il se peut que je ne la retrouve jamais. Peut-être sait-elle déjà qu'elle ne m'appartiendra plus, que mes efforts seront voués à l'échec. Peut-être sait-elle des choses que je ne sais pas. Je profite d'une pause dans le rapport sexuel que nous avons un peu plus tard pour essayer cette fameuse cigarette électronique. Rachel a écrit un papier enthousiaste à ce propos. Je suis agréablement surpris. Qu'elle se penche et m'embrasse avec douceur sur les lèvres et me voilà agréablement surpris. Je range la cigarette dans son petit coffret et j'étreins Rachel, je l'assois à califourchon sur moi — inutile de revenir sur ce désir insatiable que j'ai d'elle, de sa peau nue.

« Oui, je sais ce que c'est, je le sais bien, finissait par soupirer Walter. Je veux bien admettre qu'il y a des forces contre lesquelles on ne peut pas lutter.

— Exactement. Parfaitement. Walter, c'est comme si j'étais empoisonné. C'est comme si elle m'avait fait boire un philtre. »

Je regrettais juste qu'elle ne mente pas assez bien pour me berner car j'avais très envie de la croire, très envie de croire à ce regain de sentiment à mon égard qu'elle confortait ici et là, qu'elle entretenait par petites touches légères, comme ce baiser humide et dévastateur dont elle m'avait gratifié en posant une main sur ma cuisse. Mais je ne parvenais pas à lâcher prise, à me laisser emporter vers les lumières. C'était terrible de ne pas avoir cette force d'abandon, de continuellement résister au mouvement, qui souvent libère l'âme — malgré mes résolutions, malgré mon désir d'être un homme nouveau,

d'être un homme qui voit le bon côté des choses, un homme capable de se laisser emporter par le courant.
Au petit matin je m'endors contre elle. Dans son dos.

Par Marco, qui m'a fait la grimace pendant des jours jusqu'à ce que je lui offre des bottes en python pour m'excuser de l'avoir mis en joue, j'obtiens de quoi fumer mais je préviens tout le monde : « Avec modération. Celui qui est trop défoncé sera viré. » Je donne deux mini-concerts pour tester les nouvelles chansons devant un public et Georges peut se féliciter de m'avoir forcé la main car les deux chansons en question remportent tous les suffrages. Sur scène, le groupe semble encore mieux soudé, libéré. C'est un énorme souci en moins. La plupart du temps, trouver la bonne combinaison est une question de chance. Parfois elle reste hors de portée. Et la même, quelque temps plus tard, ne présente plus guère d'intérêt.
Joël et Caro étaient là l'autre soir et ils ont été impressionnés. Ils ont vu des dizaines de concerts de moi et celui-là, d'après eux, allait compter.
Dès le lendemain, nous sommes retournés en studio. Nous étions encore chauds. Nous étions pressés de remettre ça. L'après-midi passait, le soir tombait, puis la nuit, puis l'aube. Nous sortons en titubant dans sa pâleur laiteuse et froide. Je les remercie. Je les libère pour vingt-quatre heures. Une grande partie du prochain album est dans la boîte. J'ose à peine y croire. Je ne me souviens pas qu'une telle chose me soit arrivée

au cours de ma carrière. En quatorze heures trente, non-stop, boissons et sandwiches inclus. Sept titres. Sept prises définitives. Walter a remonté son col et s'est frotté les mains. « Ça va être l'un de tes meilleurs albums, Daniel. Ça va faire très mal.

— Tu me dis toujours ça, tu as remarqué.

— Non, non. Je ne plaisante pas. J'adore. Je suis carrément fier de toi. »

Je bois du petit-lait. À partir d'un certain âge, les récompenses commencent à faire du bien, on aimerait être inhumé avec, les emporter en passant dans l'autre monde, au cas où l'on pourrait troquer toutes ces breloques. Je lui demandais parfois de répéter quand j'entendais de telles paroles.

En dehors de marcher avec une canne, Walter se tenait droit et quelques couleurs lui étaient revenues. Les hôpitaux et les cliniques semblaient enfin s'éloigner de moi à mesure que le printemps s'installait — même si quelques violents coups de froid pouvaient encore advenir — et j'espérais souffler un moment avant le départ en tournée, je remerciais le ciel d'avoir remis Walter sur ses jambes car il était le seul à pouvoir gérer ça, à ordonner ce chaos.

Je le serre un moment contre mon épaule. Je lui dis à quel point il m'a fait peur. Je ne lui demande pas ce que signifient les étranges regards qu'il me lance de temps en temps, qui ne datent pas d'aujourd'hui mais se font juste un peu plus vifs, est-ce que je me trompe. Avec un rien d'affolé, est-ce que je me trompe. Si je le fixe une seconde son regard s'éclaircit et le reste s'est envolé mais encore une fois je n'essaie plus d'élucider ces mystères, mon intérêt s'est épuisé pour leurs grimaces — je dis *leurs* car il n'est pas le seul, au début j'allais me regarder dans la glace pour voir s'il y avait quelque chose sur mon visage, quelqu'un qui aurait écrit sur mon front durant la nuit.

Je profite de tenir Walter contre mon épaule pour lui annoncer que je lui dédie cet album — pour le remercier d'être toujours vivant. Et j'ajoute : « Bien que tu sois le pire faux cul que je connaisse. Je voudrais que tu te voies. Cette gueule enfarinée. Moi, je ne suis pas fier de toi. » Je le quitte et m'avance vers le buffet. Je pique une petite guimauve enrobée de poudre de cacahuète. Je le vois dans le miroir. Il baisse la tête. Je retourne vers lui. Je me penche à son oreille. « Tu sais, lui dis-je, il va arriver un moment, je vais en avoir assez. » Nous sommes dans une soirée, mais je ne sais pas très bien laquelle. Quelques personnes se tortillent au centre, sinon il y a des tables basses, des fauteuils, des rires, des messes basses, des groupes. « Qu'est-ce qui ne va pas, me demande Georges. C'est une fête. » Il échange un regard trouble avec Walter. Je regrette cette complicité qui demeure entre les deux et qui remonte aux années où Georges travaillait pour moi, où nous étions du même côté, car j'ai le sentiment d'être tenu à l'écart de certaines choses dans ces conditions, même si leurs rapports sont tendus.

« Est-ce que tu parles dans mon dos, Georges.

— Oui, bien sûr. Je ne fais que ça. Tu penses bien. »
Il me sert un verre. Je ne sais pas qui s'occupe de la musique, mais c'est épouvantable, c'est presque mieux sur MTV.
« Ah, mais toi, rien ne te plaît, me dit-il. Ce n'est pas difficile. Il n'y en a que pour Bob et Leonard.
— Oui, mais je n'y peux rien. Au bout du compte, la vérité s'impose, la clarté déchire les ténèbres. Il n'y a pas d'urgence. »
Comme pour m'approuver, Georgia me lèche la main. Je file vers les toilettes sans tarder pour nettoyer la bave dont l'animal m'a enduit les doigts. Avant que ça ne sèche. Déjà, j'ai l'impression d'avoir manipulé de la glu. Il a choisi cette race aux dégoulinantes babines.
Georgia n'est pas très vieille. Elle est heureuse de vivre. Elle court, elle saute, elle jappe. Georges, lorsque nous nous sommes séparés, s'est acheté un animal. Qui est mort entre-temps. Georgia est sa fille. Elle est également la fille de Georges, d'une certaine manière.
Il ne m'a jamais expliqué pourquoi. Pourquoi acheter un chien tout à coup. Pour quelles raisons. Pour faire comme Michel Houellebecq, bien sûr, mais encore. Il secoue la tête, il a toujours refusé de répondre. Il vit seul, dans cette grande maison, seul avec sa chienne. C'est un autre homme. Ce n'est pas celui que j'ai aimé. J'ai longtemps cru qu'il y avait une femme derrière notre rupture mais j'ai dû écarter cette piste pour finir, il n'y avait pas de femme aux alentours. Il y avait

juste un piège à un million d'euros posé par la maison de disques et il s'y était naturellement pris le pied.
Me passer de ses services ouvrait un abîme devant moi, mais par chance Walter avait tenu bon, je m'en étais entièrement remis à lui pour gérer le quotidien, répondre au téléphone, prendre mes rendez-vous, réserver mes hôtels, mes billets, veiller sur ma santé, subir mes griefs, et il s'était révélé solide, il avait résisté, je lui devais une fière chandelle.
Grâce à lui, j'avais pu faire bonne figure devant Georges, cacher à quel point celui-ci m'avait démoli — bien des années plus tard, quand Rachel me quitterait pour Tony, ma douleur serait parfaitement visible, je deviendrais à moitié fou, mais là, comme il m'annonce qu'il me quitte, ma douleur n'apparaît pas.
« Justement, je comptais te virer », lui dis-je.
C'était il y a une vingtaine d'années, maintenant. J'épousai Rachel au même moment et mon troisième album cartonnait. Tout cela me consolait, me rendait philosophe. J'étais en couverture. La crème de la critique musicale me consacrait. J'allais survivre. Je n'allais pas mourir de la trahison qu'il m'avait réservée. J'allais m'en remettre.
Je me demande ce qui pourrait me consoler aujourd'hui. J'attends beaucoup de Dona mais il est encore trop tôt pour discerner quoi que ce soit — son teint violacé, ses grimaces ne me disent toujours rien qui vaille. Sinon je ne vois pas. Chanter. Faire de la musique. Écrire des chansons. Mais ça ne console de

rien — en dehors des groupies —, la création ne console jamais de rien.
Georges s'est récemment mis au style chinois et des calligraphies sous verre ornent les murs. Splendides. Dans le reflet, j'aperçois Rachel. Je l'observe à son insu et tout à coup, voyant ce que je vois, l'émotion est trop forte et je m'effondre, sans connaissance, au milieu des dragons brodés sur le tapis.

Joël m'examine de nouveau, me fait passer une série de tests, mais il conclut par un haussement d'épaules. Je lui demande si je dois le payer pour être arrivé à ce résultat, pour ce lumineux diagnostic, et il me répond que oui. Nous allons déjeuner. « Quelque chose te tracasse, m'interroge-t-il. En tout cas, on dirait. » Il me considère en souriant, mais c'est un sourire mort, figé. « Ce n'est pas comme si j'avais attrapé un rhume, avançé-je. C'est la taille au-dessus.
— Non, je veux parler de ce qui te tracasse *vraiment*. Dis-moi ce qu'il y a. »
Je le regarde tandis qu'il est occupé à mâchouiller du gingembre confit. « Rien ne me tracasse *vraiment*, dis-je. La solitude n'est plus un problème. » Ah, ce regard incrédule qu'il m'adresse. Cet homme-là m'a sauvé deux ou trois fois de la mort, mais que sait-il de moi. « Laisse tomber », lui dis-je.
Nous terminons notre repas en silence, je ne le regarde pas, puis je me penche vers lui et déclare : « Mais Joël, toi. Toi, Joël, qu'est-ce qui te tracasse. Cesse de te

foutre de moi une minute. Regarde-toi. Tu me caches quoi, au juste. »
Il baisse les yeux et secoue la tête.
Je laisse quelques billets sur la table, je m'en vais.
Lorsque je rentre, Dona est au sein. Je me sers un verre et m'installe à l'autre bout du canapé pour profiter du spectacle. Rachel lève la tête. Nos regards se croisent. Je suis ébahi. Elle est tellement forte. Je suis fasciné, j'ai affaire à un Grand Maître. Je lui souris. Elle me toise. Elle ne cherche plus à éviter ces silencieux échanges entre nous et s'ils sont parfois tendus, s'ils sont tissés de nos innombrables griefs réciproques, je les apprécie malgré tout. Ils sont la preuve que nous nous sommes reconnus. Que nous parlons de nouveau la même langue.
« À propos, je n'ai rien, dis-je.
— Tu plaisantes, j'espère.
— Il n'y a rien qu'on puisse vraiment faire. Mais rien d'alarmant, d'après Joël.
— Rien n'est jamais alarmant avec lui. Il est dingue.
— Je dois éviter les émotions fortes.
— Oui. Tu n'es pas le seul. »
Je ricane. Il y a maintenant une semaine que ma crise cataplectique est passée, une semaine que je rumine la scène entrevue dans un reflet — leur fugitive étreinte tandis que j'ai le dos tourné —, à l'origine de mon malaise.
J'étais le seul à ne pas être au courant. C'est une terrible révélation pour moi. Ils avaient une histoire depuis le

début. Une histoire compliquée, chaotique, épisodique, certes, si j'ai bien compris, mais une histoire néanmoins, et lorsque j'apprends ça, lorsque j'entends ces mots de la bouche de Walter, lorsqu'il finit par se confesser, je me tourne en sentant les larmes me monter aux yeux. Durant quelques secondes, mes oreilles sifflent. Walter me touche l'épaule. Je repousse vivement sa main. Un instant, l'envie me prend d'aller chercher refuge entre les bras d'Amanda, mais je me ressaisis vite. Il est absolument nécessaire de garder un minimum d'estime de soi, un minimum d'amour-propre, afin de se frayer un passage.

Depuis son retour — même si j'ai du mal à qualifier de « retour » cette cohabitation multiforme dont Rachel s'acquitte d'une humeur inégale — je n'ai pas cessé de m'interroger sur les mines des uns et des autres, sur les moues, les regards fuyants, les soupirs dont la bande de salopards qui connaissaient le fond de l'histoire me gratifiaient, mes plus proches amis, maintenant je sais. Je comprends. Tout s'éclaire. Rachel m'a trahi pendant vingt ans, sous leurs yeux, et ils ne m'ont rien dit. Elle a sabordé notre couple sous prétexte que j'avais couché avec une femme — et je mesure aujourd'hui l'espace que j'ai libéré en lui faisant un tel cadeau — alors qu'elle se livrait à pire avec Georges à l'autre bout de la ville, je dis à pire car leur histoire durait depuis un moment, ils étaient déjà de véritables amants, ce qu'ils fabriquaient allait mettre le sort d'innocents en jeu, je dis à pire car tout a commencé là. L'origine de nos déboires se trouve là, à cet endroit précis. Rien que d'y penser m'étouffe. Les autres le savaient et ils ne m'ont rien dit. Cool. Ils savaient tout ça.

« Je regrette, se renfrogne Walter. Je te l'ai dit. Mais tu ne m'as pas écouté.

— Ah, je t'en prie. Tu voulais coucher avec moi. Tu écartais tout le monde. Je n'allais pas plus t'écouter concernant Rachel qu'à propos des autres.

— Georges m'aurait écrasé comme une mouche. Si j'avais dit quoi que ce soit.

— Tu m'as déconseillé de me mettre avec elle. *Déconseillé*. Rien de plus. Tu n'es qu'une merde. Joël et Caro, idem.

— Être bisexuel n'est pas un crime.

— Je ne te parle pas de ça, il me semble. Je te parle du prix de ton silence. Tu m'as laissé me jeter au milieu des flammes, Walter. Ce n'est pas ce que j'attendais. »

Je connais sa défense, toujours la même, ses sentiments pour moi, sa répugnance à me voir souffrir, ses relations avec sa sœur. Comme il s'apprête à m'en dresser l'éprouvant inventaire, je l'arrête d'une main ferme.

« Écoute-moi bien. Ils ne doivent pas savoir que je suis au courant. Motus. Tu m'entends. J'ai besoin de réfléchir. Je dois penser à Dona.

— Dona. Mais est-ce que tu es fou. Dona. Tu n'as rien compris, ma parole, dis-moi que tu le fais exprès.

— Je l'ai reconnue. C'est ma fille. Sa mère est ma femme. Je ne peux rien imaginer de plus simple. Alors pas un mot. Boucle-la. Fais ce que je te dis. »

Il lève les yeux, puis les bras, au ciel.
Je prends tellement de plaisir à la regarder, je suis ébloui quand je mesure son aplomb, son air de défi. À l'autre bout du canapé, je médite sur la marche à suivre tandis que Dona est dirigée vers l'autre sein qu'elle suce bruyamment.
Le soir tombe. Isa rentre chez elle. Nous lui disons bonsoir. Dona s'est endormie dans les bras de Rachel et nous demeurons dans la pénombre. Son regard capte je ne sais quel reflet et il est pointé sur moi.
Au bout d'un moment, elle ouvre la bouche. « J'aimerais savoir ce qu'il y a, déclare-t-elle. Tu es bizarre, depuis l'autre jour.
— J'ai été sonné. Heureusement que vous étiez là. Toi, surtout. Tu es le premier visage que j'ai aperçu lorsque j'ai ouvert les yeux.
— Non, il y avait cette blonde qui t'a fait du bouche-à-bouche.
— En tout cas, peu importe. Que soient rassemblés vos amis les plus chers et qu'ils soient penchés sur vous quand vous rouvrez les yeux, on ne peut donner plus belle image du bonheur.
— Daniel, je te parle sérieusement.
— Tu as tort. Ce n'est pas le moment de me parler sérieusement. »
Comme excuse, j'invoque les concerts que je dois donner dans les jours qui viennent, le besoin de sérénité, de concentration qu'ils requièrent.

« Oh, ta concentration, ajoute-t-elle. Ton impérieux besoin de concentration. »
Je connaissais à présent l'origine de cette sorte d'éternelle et lointaine rancœur qu'elle me réservait et qui refaisait régulièrement surface depuis que nous nous connaissions — que je mettais sur le compte de cette particularité féminine qui les rend un peu nerveuses et vindicatives à certaines périodes. Je pensais qu'elle m'en voulait d'avoir couché avec une autre femme et qu'elle m'avait puni en conséquence, alors qu'en fait elle m'en voulait simplement d'être là, de me trouver entre elle et lui, de faire obstacle.
Walter m'avait tout raconté et trois jours plus tard je n'avais pas encore tout intégré. L'avalanche continuait de se déverser sur ma tête, me coupant le souffle, m'étourdissant, m'arrachant diverses grimaces. Mais aussi, quand je songeais à la vie tordue qu'elle s'était infligée, je ne parvenais pas réellement à la haïr. Je pensais plutôt qu'elle était folle.
Elle me tend Dona et se tamponne le bout des seins avec un coton blanc. Je la mets au creux de mon bras et elle s'endort en trente secondes. J'avais cru pour commencer que Tony était le père et je l'avais accepté — d'autant mieux qu'il était mort. En revanche, que ce soit Georges, le père, me convient beaucoup moins. Pour ne pas dire pas du tout. Je ne trouve pas encore de ressemblance entre Dona et lui, mais je crains cette éventualité comme la peste, je ne sais comment je réagirais si cela se produisait. Je la repasse à sa mère.

M'attacher à elle ne sert à rien. Toute souffrance n'est pas bonne en soi. Cette double vie que Rachel a menée. C'est un précipice, il n'y a pas d'autre mot.
Au bout d'un moment, nous montons. Elle couche Dona dans sa chambre tandis que je regarde les informations, allongé sur le lit — on parle d'un nouveau virus puis d'un homme dont la fortune est évaluée à six milliards d'euros et qui spécule sur les matières premières, puis on apprend qu'éradiquer l'évasion fiscale suffirait amplement à rembourser la dette de chaque pays et qu'une fillette est restée dix-sept jours enfouie sous les décombres de sa maison à la suite d'un ouragan, d'un tremblement de terre ou d'une centrale, ce dernier point m'ayant échappé. En tout état de cause, j'attends que Rachel me rejoigne et les quelques minutes qu'elle passe avec son enfant sont des lames qui me transpercent les entrailles.
Je vois mal, dans ces conditions, comment faire intervenir la raison. Quand je la désire autant. Davantage encore depuis qu'il me semble qu'elle ne m'a jamais vraiment appartenu en dehors de quelques épisodes que je lui concède, qu'elle m'accordait quand ils avaient rompu mais qu'elle suspendait vite, dès qu'ils retombaient dans les bras l'un de l'autre après des mois ou des années de rupture.
Des pans entiers de ma vie s'éclairaient sous un jour nouveau. J'avais écrit de nouvelles chansons durant ces trois derniers jours et de ce point de vue, l'épreuve se révélait fructueuse. J'étais moins satisfait d'avoir à les

soumettre à Georges pour des raisons évidentes, aussi les avais-je enfermées dans un tiroir et n'en avais-je parlé à personne en attendant d'y voir plus clair.
Depuis quelques nuits, justement, je couchais avec une autre femme. Rachel passait la porte sur la pointe des pieds, un doigt sur la bouche, et je me penchais déjà pour l'attraper et l'attirer sur le lit. Rêvant de lui faire avouer tous ses crimes avant de la prendre sur un simple coussin.
L'élément troublant, eu égard à la situation, était la qualité de nos rapports sexuels. Sans doute le désir permanent que j'éprouvais pour elle et sa grande disponibilité en retour simplifiaient-ils nos échanges, mais j'avais besoin de croire qu'il y avait quelque chose entre Rachel et moi qui ne soit pas du toc et le sexe restait la seule branche à laquelle je pouvais me raccrocher.
Je donnai quelques concerts en Suisse et en Belgique pour essayer mes nouveaux morceaux sur le public et j'en profitai pour respirer un peu, pour reprendre mon équilibre en observant le jet d'eau depuis une terrasse. J'achetai des graines pour donner à manger aux pigeons et les donnai aux poissons et aux cygnes qui s'approchaient du bord. Certaines de mes pensées étaient effrayantes. Ma propre froideur m'effrayait.
Après trois ou quatre verres, un soir, je racontai tout à Amanda. Toute l'histoire que Walter m'avait racontée en détail lorsqu'il avait compris que l'on ne pouvait plus rien me cacher après ce que j'avais vu. Elle me prit la main. « Est-ce que je peux t'aider », demanda-t-elle.

Je la remerciai. Elle était vraiment devenue une bonne amie.
«Je te dois d'être de nouveau sur scène», me dit-elle.
Je la serrai un instant contre mon épaule avant de la relâcher. Ce n'était pas le moment d'ouvrir un nouveau front. «Ne va pas au-delà de tes forces, lui dis-je. Ne joue pas ta vie tous les soirs. Épargne-toi.»
C'était un vœu pieux. La scène était une autre drogue. Toutes les émotions réunies en une seule. Ce n'était pas le bon endroit pour s'épargner, pour se donner des limites. Elle n'avait plus de fesses, elle n'avait plus que la peau sur les os ou peu s'en fallait. Je comprenais que Georges eût renâclé — et j'en soupirais d'aise, à présent. Elle avait perdu en quelques mois les charmes que je lui avais connus lors de nos premiers rendez-vous, mais elle y avait gagné un regard fiévreux, brûlant, qui enchantait un grand nombre de nos admirateurs. Je la regardai s'éloigner dans le couloir, en direction de sa chambre, flottant dans son jean serré à la taille comme les cordons d'une bourse. Sans se retourner, elle me fit un petit signe de la main.
Nous donnons un concert supplémentaire à Paris avant de rentrer et le succès est tel que Walter signe aussitôt pour de nouvelles dates. Georges appelle pour nous féliciter et m'encourage à terminer mon album dans les plus brefs délais.
«Tu es de plus en plus attendu, me déclare-t-il.
— Ça dépend par qui, dis-je.

— Tu as vu tes précommandes sur Amazon. Va les voir. C'est une bonne indication.
— Te souviens-tu, Georges, de l'époque où nous avons été les meilleurs amis du monde. »
Après un bref instant de silence, il répond oui.
Je prends le dernier avion et j'avertis Rachel de mon arrivée. Walter a commandé une voiture. Depuis qu'il a vidé son sac, il se sent beaucoup mieux. Il n'ose pas m'interroger sur le seul sujet qui l'intéresse, et il fait bien, mais afin qu'il quitte cette expression d'interrogation muette, permanente, qu'il menace de conserver jusqu'à destination, je lui confirme que j'élabore une stratégie. « Mais je ne peux pas t'en parler, Walter. Regagne d'abord ma confiance, mon vieux. »
Je le dépose, puis le chauffeur me laisse devant chez moi. Il fait bon, le ciel est étoilé. Je tape mon code. Il y a de la lumière à l'étage. Sans allumer, je monte. Rachel est là, sur le lit. Sur le dos. Je me déshabille en moins de cinq secondes, je la pénètre sans lui laisser le temps de dire ouf. Elle referme ses bras autour de mon cou et me serre contre elle, puis ses jambes autour de mes hanches et nous voilà comme soudés l'un à l'autre. Nous ne bougeons plus, nous ne disons rien. Nos sueurs et nos odeurs se mêlent.
« J'aimerais comprendre, finis-je par déclarer. Mais je pense qu'au fond, il n'y a pas d'explication pour une telle chose. » Elle ne dit rien mais elle m'étreint davantage, m'invitant à la limer pour de bon.
L'aube tâtonne à peine dans la chambre lorsque

j'entends Dona remuer à côté. Je me lève prudemment, j'enfile un peignoir et je descends avec elle. Je l'installe à côté de moi. Le ciel est dégagé, limpide. La brume blanche qui couvre le lac se désagrège déjà par endroits, s'éparpille en calmes volutes dans le matin clairet. Dona referme une main sur la dernière phalange de mon index et s'y agrippe fermement. Un vol d'oiseaux sombres traverse le ciel en direction du soleil levant.

Je pense à Marco. Je refuse de penser à lui mais j'y pense malgré tout. Je vais le voir.
« Pardon, m'sieur, me dit-il en grimaçant comme un chien, pardon, m'sieur, je crois que j'ai pas compris, là.
— Tu es jeune, mais tu as très bien compris, Marco. Alors arrête, par pitié. Ne nous fais pas perdre notre temps.
— Eh bien, dites, vous venez me demander ça. Vous venez me demander un truc pareil. Non, mais vous êtes tombé sur la tête.
— Je ne savais pas que tu en ferais toute une histoire. Oh là là, c'est bon, je vais me débrouiller. Sinon ça va, tu es content d'être là. C'est bien payé, non. Je dis ça pour les courants d'air. Et c'est comme ça toute la nuit. Dans ce cas, couvre-toi bien, mon vieux. »
Nous sommes sur les docks, le bougre m'a donné rendez-vous à six heures du matin sur les docks — car ensuite il allait se coucher — devant les hangars à

bateaux qu'il est censé surveiller et il souffle un vent froid et mauvais en ces jours de printemps, nous sommes frigorifiés. Je lui lance un dernier regard, puis je hausse les épaules et je lui fais signe que je m'en vais. Il me rattrape et se met à marcher à côté de moi le long du quai où clapote une eau claire et glacée.

« Georges est un salaud, dis-je, il n'a pas de famille, personne ne va le regretter. Il a été l'amant de ma femme pendant vingt ans, imagine-toi. Ce n'est pas une bonne raison de vouloir se débarrasser d'un tel démon, ce n'est pas tout ce qu'il mérite, dis-moi.

— Écoutez, m'sieur, d'abord faut pas parler si fort de ces choses, c'est pas la peine. Ensuite, je vais vous dire. Vous allez rien trouver à moins de dix mille. Vous cassez pas à chercher. »

Lorsque je le quitte, je crois que je n'ai plus toute ma raison. Je suis dans un état second. Comment ai-je pu sauter le pas. Renverser ces barrières. Comment ne pas être le monstre de l'histoire, pour finir. Je trouvai rapidement un bar en ville et m'installai au comptoir, la mine sombre. À cause de la pénombre, que chacun ici recherchait pour souffler un peu, je n'avais pas remarqué Brad qui fixait silencieusement son verre à côté de moi. Conscient que je m'intéressais à lui, il tourna les yeux dans ma direction.

« Ça ne te fait rien, me dit-il, que Johnny et Vanessa se soient séparés.

— Oh que si, dis-je.

— Mmm. Et ce prochain album, c'est pour quand.

— Je suis dans la dernière ligne droite.
— Et tu vas encore nous faire chialer, j'imagine.
— Allez, ne me charrie pas.
— Mon salaud.
— Arrête. »
Il me donne des nouvelles de ses nombreux enfants. J'admire ce type. C'est un grand acteur en fin de compte. Je vois très bien un homme tel que lui, et c'est un compliment de ma part, faire appel à un tueur à gages quand les circonstances l'y obligent. Avoir cette indépendance de caractère. Cette liberté d'esprit. Ça ne me choquerait pas du tout. Quoi qu'il en soit, je suis encore sidéré d'avoir engagé Marco, d'être allé jusqu'au bout, d'être passé à l'acte. J'en ai la nuque douloureuse, ma main tremble encore un peu. Je souris à Brad et je me glisse derrière le comptoir, j'échange quelques billets avec le barman pour emporter une bouteille car j'ai envie de boire seul. Je presse l'épaule de Brad qui me fait son célèbre sourire, je lui cligne de l'œil et je rentre chez moi. Il est à peine midi. Je rapporte des croissants.
Isa me sert du café sur la terrasse et elle en profite pour fumer une cigarette.
« Ce que j'ai découvert, Isa, soupiré-je. Si vous saviez ce que j'ai découvert, c'est atroce. Je ne veux pas en parler, mais parfois la vie est un fardeau. » Je sors ma cigarette électronique et nous fumons tous les deux sans rien dire, sous les pâles ardeurs d'un soleil timide. Tandis que le jardinier apparaît au fond du jardin sur son

tracteur tondeuse et attaque les abords de mon studio, je reçois un appel de Marco qui veut savoir si je me suis décidé pour une date.
Je me lève d'un bond et m'éloigne le téléphone à l'oreille, la main devant la bouche.
« Non, Marco, pas encore. Pas depuis ce matin. Réfléchis. Je te préviendrai, Marco. Tu sais, moins tu m'appelles, mieux ça vaut. Simple mesure de précaution.
— Eh, attendez, moi il faut que je m'organise. Et je veux mon argent. Je veux la moitié tout de suite.
— Bien entendu. Calme-toi. Il faut que je passe à la banque. Je te rappelle.
— À cinq mille, c'est presque du vol, m'sieur.
— Du vol. Mais qu'est-ce que tu dis. Regarde un peu autour de toi. Tu crois que cinq mille euros ça se trouve sous les sabots d'un cheval. Tu n'as pas idée de la concurrence dans ton domaine aujourd'hui, tu devrais me remercier avec tous ces types de l'Est qui arrivent par douzaines, super entraînés, super armés, super professionnels. De parfaits modèles de tueurs à gages. Habillés correctement, froids, discrets. Qui le feraient pour la moitié du prix, renseigne-toi. L'Âge d'Or est fini. Il faut s'adapter ou mourir. Dura lex, sed lex.
— Ah ça, jamais de la vie. À moitié prix jamais de la vie. Me racontez pas n'importe quoi, m'sieur. »
Je pense que je commets une erreur en m'offrant les services de Marco. J'en suis tout à fait conscient. Je

suis sûr que je vais le regretter, mais je ne peux guère l'éviter. J'y ai réfléchi.

« Est-ce que tu as des ennuis, Daniel, me demande Amanda.

— Non, pas que je sache », lui réponds-je en grimaçant.

J'ai été tellement mauvais. Il n'y a rien à garder. Impossible de me concentrer durant tout l'après-midi, aucune prise dont je sois satisfait. Je partage avec les musiciens la bouteille acquise de bon matin. En vain. L'étincelle ne se produit pas. Je remercie tout le monde. Elle reste avec moi. « Daniel, me dit-elle, si tu ne me permets pas de t'aider à mon tour, tu ne me feras pas du bien. Est-ce que tu peux le comprendre. » Quand nous sortons, il fait nuit. La fraîcheur de la nuit. Dans la voiture, elle reste muette, regarde droit devant elle.

« J'ai décidé de supprimer quelqu'un », déclaré-je, arrêté à un stop.

Elle ne cille pas. Elle reste les mains croisées dans son giron.

« J'ai une arme, dit-elle. Je peux te la prêter.

— Non, je ne veux pas d'histoires. J'ai quelqu'un. J'ai trouvé un genre de tueur à gages. »

Nous roulons sur quelques mètres et nous arrêtons au feu suivant. « Est-ce que je peux aider, demande-t-elle.

— Nous ne sommes pas au Far-West, Amanda. »

Je la dépose en bas de chez elle puis je mets mon téléphone en mode avion.

En arrivant, je découvre que nous recevons un peu de monde ce soir. À la cuisine, je ne trouve plus que des légumes crus découpés en bâtonnets et quelques tomates-cerises. Des divers canapés il ne reste que leurs petits écrins de papier accordéon et plus rien du riz aux cèpes. Ils ne sont qu'une trentaine mais c'est comme si un nuage de sauterelles s'était abattu sur un champ. Cependant, Rachel m'a réservé une assiette. Je lui dis « Je m'excuse d'avoir oublié cette soirée », mais elle demeure étonnamment aimable à mon endroit et m'assure que c'est sans importance. Je me demande si je n'ai pas découvert son point G, par hasard, ou si elle prend un euphorisant quelconque. Plus sérieusement, il y a quelque chose de nouveau entre nous, quelque chose d'indiscernable depuis qu'elle sait que je sais. Je repense à notre dernier rapport sexuel. Fiévreux, impressionnant. Elle est restée dans mes bras jusqu'à l'aube, une cuisse — où filent de longues cicatrices — en travers de mon ventre, le sexe collé à ma hanche, mou et gonflé comme une anémone de mer.

Je remarque également que Georges n'est pas invité.

« C'est fini entre lui et moi », me dit-elle.

Je fais l'étonné : « C'est sérieux.

— Ça n'allait plus depuis longtemps, confirme-t-elle.

— Rachel, je suis très heureux d'entendre ça. Tu m'enlèves un poids. »

Elle avance la main et me caresse discrètement l'entre-jambe à travers la fine étoffe de mon pantalon clair.

Quelqu'un doit mettre de l'ordre dans tout ça. Je ne

peux pas compter sur elle. Je ne peux pas attendre qu'elle retombe dans ses bras comme elle l'a toujours fait pendant vingt ans, je ne veux plus entendre parler de cette folie.

Je conseille à Marco d'agir au moment où Georges récupère sa voiture au parking. Il hoche vaguement la tête. Je lui donne son argent. Il compte en hochant la tête. « Vendredi soir serait parfait pour mon alibi, dis-je. Figure-toi que j'ai une émission en direct. »

Amanda partage mon inquiétude quand elle apprend que j'ai placé Marco au cœur des opérations. Elle lui fait si peu confiance qu'elle propose de le surveiller lorsqu'il sera à pied d'œuvre, mais je refuse catégoriquement. J'essaie de me concentrer sur mon album. Nous y travaillons comme des chiens.

Après la mort de Georges, l'horizon s'est éclairci, de mon point de vue. J'ai eu le sentiment que nous nous engagions sur le bon chemin. J'ai pris Dona dans mes bras et je lui ai dit que j'étais son père. Ainsi Dona est vraiment devenue ma fille. Quoi qu'il arrive, je suis son père désormais, elle n'en a pas d'autre. La situation telle qu'elle se présentait ne pouvait pas durer. Il fallait trancher. Faire ce qu'il y avait à faire.

Sans doute Marco avait-il transformé l'épisode en véritable boucherie — jusqu'au bout, ce type aura été une vraie malédiction, une plaie, comment ai-je fait pour le mettre sur ma route — mais je n'en restais pas moins persuadé d'avoir livré la seule réponse possible au

problème que posait Georges, et j'avais l'âme en paix. Pas de blâme. De combien de baisers de Judas m'avait-il gratifié avant de mettre fin à notre association. De combien d'instants de ma vie m'avait-il spolié.
Je dirais de morceaux entiers. De pans entiers. Alors je ne regrette rien. Nous avons un été flamboyant, rouge orangé, splendide malgré une vague odeur de vase dans l'air. Mon album est sorti depuis deux mois, j'en suis relativement fier et il se vend relativement bien. Un jeune type a remplacé Georges, il me tend sa carte et me tape sur l'épaule, mais je vais attendre avant de le juger, je ne vais pas le vomir d'emblée. Walter trouve que ça va, que l'homme en question n'est pas forcément notre ennemi — je me demande ce qu'il pourrait bien être d'autre, mais je vois ce que Walter veut dire.
Je rejoins Rachel dans le jardin. Elle est installée dans l'ombre du tilleul, et elle tape sur son ordinateur. C'est vraiment une très belle femme, selon moi. Je comprends tous les efforts que je déploie pour la garder dans mon lit tout en tâchant de conquérir son esprit. Dona dort sous sa moustiquaire. Walter un peu plus loin, dans un transat. J'ai enfin obtenu de pouvoir déplacer l'arbre que j'avais fait planter à l'endroit où Tony avait eu son accident et trois hommes sont déjà à pied d'œuvre. J'ai obtenu l'accord de Rachel sans difficulté. J'observe la scène en posant ma main sur son épaule. Elle s'arrête de taper et la couvre de la sienne tout en observant la scène à son tour. Nous ne voulons garder aucun souvenir du passé. Nous com-

mençons une vie nouvelle. Nous n'en parlons même plus. Je me suis rangé à l'avis de Rachel qui estime que nous n'avons rien à gagner à fouiller ces zones d'ombre et j'avoue que l'épilogue sanglant de ces anciennes vies ne donne pas envie de les ressasser.

C'est par la radio que j'ai appris qu'il y avait eu trois morts dans un parking ce soir-là. J'ai eu aussitôt un mauvais pressentiment. J'ai appelé Amanda et elle n'a pas répondu. Je refusais de croire qu'il s'agissait d'elle mais au fond j'en étais persuadé et je ne fus pas surpris quand j'entendis son nom cité parmi ceux des victimes de ce carnage. Ils étaient tous morts. Georges était mort. Marco était mort. Amanda était morte.

Je suis resté assis de longues minutes, tout à fait immobile, cherchant à retrouver un souffle normal, tandis que d'autres nouvelles défilaient, dans l'ensemble peu réjouissantes, mais je ne les entendais pas vraiment. Mes oreilles bourdonnaient. « Mais qu'est-ce qu'elle fichait là », me répétais-je. « Mais qu'est-ce qu'elle fichait là », répétais-je inlassablement.

Je suis sorti. Il faisait nuit. Les alentours baignaient dans une obscurité humide. Une légère lueur flottait à la surface du lac. Je les imaginais étalés tous les trois dans ce parking. Je ne pensais qu'à ça. Je ne pouvais pas penser à autre chose. Puis je m'aperçois que j'ai reçu un message vidéo et c'est hallucinant, nous vivons en pleine science-fiction, Seigneur, je vois Amanda apparaître sur l'écran de mon téléphone, elle est allongée sur le sol, un revolver à la main, elle baigne dans son sang, l'image est parfaite sur mon écran Retina, on aperçoit les deux autres en arrière-plan, étendus pour le compte, et elle me dit, Seigneur, avec une affreuse grimace : « Trop heureuse de pouvoir te rendre service, Daniel. Mais je ne l'aurais pas fait quand j'avais vingt ans. » Elle essaie de sourire. Le béton granuleux du parking pour tout oreiller. Sa joue écrasée, meurtrie. Le sang éclaboussé autour d'elle, sous la lumière électrique, n'est pas du Jackson Pollock.

De la même façon, mais sans image, j'avais également vécu en direct l'accident de Rachel. C'était sans doute une malédiction, je ne sais pas. Assister impuissant à l'horrible agonie de femmes qui m'étaient chères n'était pas un cadeau du ciel, en tout cas. Amanda se vidait de son sang. Elle ferma les yeux et au bout d'un moment elle cessa de bouger.

Tout cela semble si loin, aujourd'hui. Je n'ai pas eu envie de regarder ces images une seconde fois. Je pense que je vais finir par les détruire. Le soir, lorsque nous sortons, Rachel et moi, nous prenons parfois Dona dans son couffin et nous laissons une minute les paparazzis faire leur travail afin de donner à notre couple une image un peu plus respectable — après celle déplorable et scandaleuse que nous avons véhiculée des années durant. Nous faisons ça pour Dona, je crois. D'un commun accord.

Rachel a baissé les yeux quelques secondes en apprenant à son tour que Georges avait été abattu dans un parking. Elle les a lentement relevés quand elle a

entendu ensuite qu'Amanda faisait partie des victimes et sa réaction fut de dire : « Mais qu'est-ce que ça signifie. » J'ai répondu que je n'en savais rien.
On nous interroge et je dis que le bruit court que Georges et Amanda ont plus ou moins flirté ensemble à un moment donné, mais que je ne tiens pas avec précision ce genre de registre.
« Ce jour-là, nous n'avons pas vu la même chose », s'exclame Rachel.
Pour les hommes de la balistique, Georges a été abattu par l'arme de Marco qui lui-même a été abattu par l'arme que tenait Amanda. Qui elle-même a reçu trois balles dans le dos en retour. « Je me demande ce qu'ils faisaient alors ensemble sur un parking, dis-je. À dix heures du soir. Ça n'a pas le goût d'une relation, pour toi. »
L'inspecteur hoche la tête pour me donner raison.
Ce qui m'importe, en fait, c'est de le voir partir le plus rapidement possible, de lui proposer une solution facile plutôt que d'entamer avec lui une discussion sur où commence et où finit une relation. Car j'ai soudain besoin d'avoir un moment d'intimité avec Rachel. Mais elle pas. Non que j'attende expressément d'elle qu'elle soit disponible vingt-quatre heures sur vingt-quatre, mais j'avoue que parfois ça tombe mal.
Les fins de journée sont brûlantes. Impression que la nuit ne parvient pas à s'imposer. Le véritable été a tardé mais il s'étire à présent et connaît les premiers orages — qui apportent un reste de fraîcheur, qui sont une

bénédiction, malgré tout. On peut éteindre les ventilateurs qui brassent un air tiède et vaguement fétide, installé depuis la fin des inondations, en provenance des égouts, de ces tonnes de pourriture qui exhalent une suave puanteur à travers les rues, dans le métro, dans les parcs — les familles se promènent à présent avec des sacs de plastique qu'elles coincent sous les plaques d'égout pour contenir ces incommodants remugles.
On ne sait pas ce que les pouvoirs publics fabriquent. Certes, des camions remplis d'ordures et de détritus remontés des caves, des sous-sols, du métro, circulent à travers la ville — et toute cette saloperie s'entasse en énormes monticules dans la campagne avoisinante, abandonnés en plein vent —, mais leur lugubre ballet qui dure depuis des lustres n'a pas arrangé grand-chose. L'odeur de pourriture est imprégnée. Sur les trottoirs, dans les transports publics, on hésite à se pincer le nez, on se regarde un peu bizarrement. Les plus sensibles ont des haut-le-cœur. Certains se parfument atrocement. Il fait très chaud, les fenêtres sont ouvertes, on entend les machines à laver, les arrivées d'eau, les lavages, les vidanges, le sifflement des essorages, dépensés en pure perte. Et parfois, quand le vent tourne, c'est presque une odeur de cadavre qui flotte — à tel point que ces jours-là, des hélicoptères vaporisent au-dessus de la ville un produit légèrement mentholé, aux huiles essentielles, mais le mariage des deux n'est pas très convaincant.
En tout cas, personnellement, je suis en pleine dépres-

sion. Je fais en sorte de ne pas le montrer mais je porte mes concerts à bout de bras et je sens que je ne tiens que grâce à l'alcool et aux somnifères. L'absence d'Amanda, au sein du groupe, y est pour quelque chose. Être père à cinquante-trois ans aussi, sans doute. Et cette odeur nauséabonde.
Walter pense que je me suis trop fatigué durant cette tournée. L'autre soir, alors que vibrait encore la dernière note de mon dernier morceau, je me suis écroulé sur scène, je suis tombé comme un sac avec ma Gibson. On a tiré le rideau et les gens ont adoré alors que j'avais perdu connaissance. Les gens ont sifflé de joie alors que des pompiers étaient penchés sur moi.
Depuis mon retour, Rachel me trouve taciturne. Je lutte, pourtant. Je déclare que ce n'est pas à elle que je vais apprendre ce qu'il en coûte de ces tournées harassantes, du dérèglement nerveux qu'elles suscitent. Je prétends que ces effets désagréables vont passer et je fais demi-tour, je traverse le jardin, je pousse la porte de mon studio et je referme, je tire le verrou dans mon dos et je m'allonge en travers du lit, un oreiller sur la tête.
Vers dix-neuf heures je me lève et je prends une douche. Le soir tombe. Je jette un coup d'œil dehors mais aucune voiture n'est encore arrivée. Je me rase, donc. Je reste un moment assis dans mon fauteuil avant d'enfiler mes chaussures que je tiens à la main.
Puis je m'active. Je me force. Puis je retourne dans la maison. Qui est encore vide et silencieuse.

Je reste un moment assis en bas, dans la pénombre, puis soudain le salon s'éclaire et Isa ouvre la porte au traiteur et ils commencent à installer un buffet. Je monte dans la chambre.
La porte de la salle de bains est ouverte. Rachel est en culotte devant le lavabo. Je prends place dans un fauteuil pour la regarder. Je mets en marche ma cigarette électronique. Devant un tel spectacle, je ne devrais pas être triste mais soudain je les sens tomber sur mes mains, je sens mes larmes tomber sur mes mains.
« C'est le pollen », dis-je comme elle s'approche, curieuse du phénomène.
« Daniel, quel pollen », me demande-t-elle.
Nous reprenons cette conversation bien plus tard, presque à l'aube. Les derniers invités sont partis, le silence est revenu.
« Daniel, dit-elle en se déshabillant. Je ne peux pas te donner des réponses que je n'ai pas. Comprends-le. Je ne sais pas. J'étais jeune, je ne savais pas qui j'étais.
— En tout cas, laisse-moi te dire une chose. Je suis dévasté. Ce que tu m'as fait m'a dévasté. Je crois qu'il faut que tu le saches.
— Oh, eh bien, désolée. Je suis désolée. Mais il n'est plus là, n'est-ce pas. Nous sommes dans une autre histoire, Daniel. »
Je lui propose un dernier verre, au point où nous en sommes. L'aube se lève. Je redescends préparer des gins-tonic. À mon retour, elle prétend qu'elle est déjà

ivre, il fait chaud. J'en déduis qu'elle ne souhaite pas parler.

Le jeune gars qui a remplacé Georges était à la soirée. Un certain Cédric, un brun maigre, à lunettes. La nuit était bien avancée et il était encore là, ravi, tout à fait à l'aise dans son costume trois-pièces. Je me suis avancé vers lui et je lui ai dit que j'espérais que nous allions nous entendre. Il m'a répondu qu'il en était sûr. J'ai bu un verre avec lui. Cette fois, le contact n'a pas été désagréable. J'y ai repensé, plus tard, en regagnant la chambre — et avant de finir, après une séquence larmoyante, le nez entre les jambes de Rachel. J'ai pensé que décidément je n'étais pas sur le point de regretter Georges.
Regretter est une chose, oublier en est une autre. J'ai écrit une chanson sur Georges, récemment. Le refrain dit : *Je ne souhaite pas ta mort / Je souhaite que tu disparaisses.* Avec Georges, cette chanson n'aurait sans doute jamais vu le jour. Trop noire, trop négative. Très mauvaise sur le plan économique. Cédric me dit qu'au contraire, il lui tarde de l'écouter. Je lui tends un casque. Il adore. Il en parle de façon intelligente. « Où te cachais-tu durant toutes ces années », plaisanté-je.
Il m'a donné envie de m'y remettre rapidement. Je ne pouvais pas lui garantir, dans l'état où je me trouvais, fondant en larmes au moindre prétexte ou encore sans raison, que ce prochain album tendrait vers le bleu horizon ou la gaieté absolue — je ne lui en touchai pas

le moindre mot d'ailleurs —, mais écrire des chansons me faisait du bien manifestement, jouer d'un instrument, chanter.

Cela me permet d'être relativement seul, de ne pas voir les musiciens jusqu'aux prochains concerts, de ne voir personne. Écrire des chansons. Chanter juste pour sa propre oreille. C'était le remède. Ce n'était pas la totalité du remède, mais c'était appréciable.

Rachel traverse le jardin et pousse la porte de mon studio au moment où je finis d'enregistrer un nouveau morceau et elle s'immobilise en attendant que je finisse et une fois que j'ai fini, elle reste muette.

Je la vois tendre une main dans son dos à la recherche du fauteuil et l'ayant trouvé s'y laisser choir. Il fait déjà sombre, dehors, il souffle un vent léger.

« C'est ça, déclare-t-elle en secouant la tête, c'est ce qui a tout compliqué. Mon admiration pour toi. J'aime trop.

— Merci, ça me fait plaisir. Dommage que ça n'ait pas suffi.

— Être amer ne sert à rien.

— Je sais.

— J'étais tiraillée entre vous deux.

— Je sais.

— Tu ne peux pas comprendre. Tu n'étais pas à ma place. Je l'ai aimé avant toi, je te l'ai déjà dit. Tu as oublié.

— Je crois que tu ne te vois pas sous le bon angle. Je crois que tu nous as joué la même comédie. À tous les

deux. À lui comme à moi. Mais lui au moins était au courant. Pas moi. »
Elle me regarde sans ciller.
Puis elle demande : « On peut réécouter cette chanson. »
Nous faisons l'amour après, sur-le-champ, contre la console, puis elle retourne à la maison en marchant les jambes écartées. Je la suis, je regarde le clair de lune sur ses épaules. Malgré le vent, il fait assez bon. Je monte me coucher.
Le lendemain matin, Isa frappe à la porte de la chambre. Dona est dans ses bras. Elle vient nous avertir que Walter est en bas et qu'il veut absolument nous voir.
J'enfile un peignoir et je descends. « Quoi, m'exclamé-je. Peux-tu répéter. Est-ce que tu viens de me dire que Georgia serait enfermée là-bas depuis des mois, c'est bien ça, non mais, tu te moques de moi, Walter.
— Non, malheureusement, elle semble avoir eu accès au jardin.
— Oh mais la pauvre, ont gémi Rachel et sa compassion pour les bêtes.
— Toi, elle te connaît bien, m'a dit Walter.
— Bien sûr. Je l'ai connue bébé. J'ai connu sa mère. Toi aussi.
— Mais moi, elle me déteste. Je n'y peux rien. »
Nous prenons un petit déjeuner rapide. Je trouve une laisse et des biscuits pour chien dans le garage. Dehors, Walter ajuste son casque, Rachel vérifie qu'elle a bien

les clés, quelques arbres commencent à rougir et flamboient dans le soleil, Isa et Dona assistent au départ de notre mission visant à récupérer l'animal dont Georges s'est encombré à la fin de sa vie et dont je me demande ce que nous allons faire quand nous l'aurons attrapé — le jardin de Georges couvre un demi-hectare.

Encore une fois, je fuis cette maison. N'ignorant plus désormais que Rachel venait y retrouver Georges, elle me sort par les yeux. Je me gare cependant devant l'entrée. Walter enlève son casque, Rachel cherche ses clés, ils ont tous les deux leur canne et marchent un peu de guingois, ce qui donne beaucoup d'allure à notre équipage, surtout lorsqu'il doit lutter contre de fortes bourrasques. La porte d'entrée est encadrée de bougainvillées dont les fleurs sont battues par le vent. « Regardez-moi ces violets profonds, ces mauves, quelles merveilles », déclaré-je sur un ton involontairement lugubre tandis que Rachel fait jouer la serrure.

Je l'écarte dès que la porte s'entrouvre. Walter pousse le panneau du bout de sa canne. Il fait sombre à l'intérieur, les volets sont fermés. J'appelle Georgia sur un ton amical et ferme, néanmoins rien ne se passe et au bout d'une minute, nous entrons.

Je fais des bruits de baisers, de succions. Le salon est vide. Je l'appelle. Je lui dis de venir. Il y a une odeur désagréable qui flotte et qui n'est pas la même que celle que l'on respire en ville depuis la fin des inondations. Nous découvrons des sacs de vingt kilos de croquettes au poisson éventrés dans l'abri anti-atomique,

au milieu de flaques d'urine et d'excréments plus ou moins secs. Nous découvrons aussi par où elle se glisse pour aller du dedans au dehors — l'aubaine d'un vasistas cassé au niveau de l'entresol.
Nous retournons dans le salon et Walter sort le fusil de Georges de sa housse et engage deux cartouches dans le canon, mais Rachel lui confisque l'arme. « Non, mais tu n'y penses pas », lui dit-elle.
Ne pas tenter de les séparer et ne pas prendre parti sont les seules bonnes attitudes qu'il convient d'adopter avec eux. Je grimace pour leur faire signe que j'essaie de tendre l'oreille. Nous visitons encore la cuisine et la seconde partie du salon et le bureau de Georges. Nous nous bouchons le nez. « Elle est dehors », dis-je.
Nous nous étions déjà lancés à ses trousses quelques mois plus tôt, au beau milieu de l'enterrement de Georges qui avait commencé par une petite pluie et s'était terminé sous les trombes d'eau, les éclairs et le tonnerre soudains — le lendemain, pour celui d'Amanda, le soleil avait brillé.
Georgia avait détalé aux premières zébrures du ciel dont le fracas était étourdissant. Il pleuvait et nous étions franchement trempés, de sorte qu'il était difficile de savoir qui versait ou non des larmes sur la dépouille de Georges. Sa chienne, bien entendu, le pleurait abondamment, sans retenue. Elle hurlait à la mort et personne ne faisait rien pour l'arrêter. Il s'agissait, en majorité, de gens de la maison de disques, les parapluies ruisselaient, le monticule de terre fraîche

s'effondrait peu à peu, se transformait en boue, puis au moment où le cercueil descendait en terre, le premier éclair avait illuminé le ciel sombre. La déflagration fit trembler le sol comme si une montagne s'écroulait et Georgia fila ventre à terre en gémissant dans l'orage qui redoublait d'ardeur, les parapluies qui se retournaient, les chapeaux qui s'envolaient et tournoyaient dans l'air. Nous avions passé des heures à la chercher en vain et il est vrai qu'aucun de nous n'avait songé à venir jusqu'ici en raison de la distance. Nous l'avions appelée sur tous les tons en maraudant le long des trottoirs, toutes vitres ouvertes, nous avions communiqué entre nous pour connaître les zones déjà ratissées, avions accéléré à la vue du moindre chien errant, de la moindre forme sombre en liberté. Nous avions fouillé les abords, les rues, les parcs, les ruelles, et à notre retour, les mains vides, nous avions trouvé la tombe de Georges rebouchée.

Rachel et moi étions restés un instant devant un rectangle de terre noire — silencieux, immobiles —, puis elle m'avait pris le bras, m'indiquant ainsi qu'il était temps de faire demi-tour.

« Je me demande si au fond tu es capable de sentiments », lui avais-je déclaré tandis que nous marchions vers la sortie, au milieu des tombes, essuyant encore quelques gouttes. Elle s'était arrêtée. « Il ne comptait plus, je te l'ai dit. Notre histoire était terminée. Crois-le ou non. Tu sais, ce sont des choses qui arrivent. » Comme il tombait de nouveau des cordes, j'aurais pu la prendre contre mon épaule, ou mieux encore l'abriter sous un pan de ma veste aussi détrempée qu'elle fût, mais j'avais enfoncé mes mains dans mes poches et continué mon chemin en direction de la voiture sans me retourner.

Des poissons qui peuplaient le bassin, il ne reste que les arêtes. Le jardin est hirsute, le gazon nous arrive aux genoux. Des lampions se balancent encore dans les arbres, relativement défraîchis. Georges est six pieds sous terre depuis des mois mais je sens qu'il n'est pas bien loin et je pense que Rachel et Walter partagent mon avis. Nous balayons le jardin dans l'autre sens, examinons les buissons, les fourrés à la recherche de Georgia, nous demandant où elle a bien pu passer. Nous l'invitons à ne pas avoir peur, à sortir de sa cachette, à venir manger quelques gâteaux. Fin de matinée radieuse, criblée au nord de petits nuages argentés en forme de médaillons ciselés. J'évite de croiser le regard de Rachel dans un endroit qui pourrait me faire apparaître sous un mauvais jour, me faire dire des choses que je regretterais sans doute plus tard, des méchancetés.

Dans cette maison avait habité l'homme qui avait transformé ma vie sentimentale en vaste blague, l'homme qui avait trahi mon amitié, l'homme qui avait fait un enfant à ma femme, etc. J'ai du mal à ne pas y penser. L'esprit ailleurs, je me pique à un rosier sous la tonnelle. Rachel se penche pour sucer la petite goutte de sang rouge vif qui perle au bout de mon doigt et je

bande aussitôt. Je suis un jouet tellement simple, pour elle. Une mécanique si simple.
Nous rentrons. Je monte à l'étage plongé dans le clair-obscur. Les volets sont tirés. D'instinct, je trouve la chambre. Je pousse la porte. On y voit à peine mais je distingue suffisamment les choses, les miroirs au-dessus du lit, le satin pâle sur les murs, l'écran géant, les peaux de bête sur le sol, les accessoires, les pots et les crèmes sur les tables de nuit. Et cette coiffeuse où elle venait s'asseoir. Les fesses nues. Je retiens ma respiration. Georges ne m'avait jamais proposé de visiter sa chambre — et pour cause, et j'avais remarqué qu'il la fermait à clé en la quittant, à la manière de ces vieilles femmes de la campagne, un peu méfiantes, quand elles entendent klaxonner la camionnette de l'épicier ou celle du marchand de saucisses.
Je ne veux même pas avoir une idée du nombre de nuits que Rachel a passées dans cette chambre. Je ne veux même pas y penser. Certaines années, je restais cinq ou six mois sur la route et je savais qu'elle couchait à droite et à gauche pour me punir — mais c'était encore pire que je l'imaginais puisqu'il s'agissait de Georges, de l'interminable et foireuse liaison qu'elle entretenait avec Georges. Je pleure, bien entendu. Il ne m'en faut pas beaucoup, en ce moment. Les larmes coulent sur mes joues avec la singulière aisance de petites sources tranquilles et salées. Des larmes de pure désolation. Quand je vois cette chambre. Quand ma souffrance est alors à son comble.

Je sors de clinique au bout d'une quinzaine de jours. La facture risque de me donner des sueurs froides, Brad m'a prévenu, mais il n'y avait pas mieux d'après lui et j'ai été bien avisé de l'écouter, les résultats sont nets, je consomme bien moins de médicaments et beaucoup moins d'alcool. Et je n'ai pas versé une larme depuis trois jours, sinon.

Rachel vient me chercher avec Dona. Elles ont loué une décapotable pour l'occasion et elles ont absolument bien fait car le temps est magnifique. À l'accueil, un gros bouquet de fleurs m'attend, envoyé par la maison de disques.

Je suis heureux de conduire, le coude à la portière, l'autre bras — enfin ce qu'il en reste — étendu sur le dossier, de sentir le ciel défiler au-dessus de ma tête et de jeter quelques coups d'œil à Rachel par-dessus mes lunettes. Dona est attachée sur le siège arrière. Il fait si bon que nous lui avons laissé les bras et les jambes nus.

« Ils t'ont remis sur pied, il faut voir ça », me dit-elle.

J'utilise le frein moteur, car c'est une longue descente en épingle à cheveux.

« Je me suis bien oxygéné, en tout cas. Rien ne vaut le repos, tu sais. De la lecture et un peu de piscine. J'ai relu les nouvelles d'Hemingway. Celles avec Nick Adams, elles te tuent littéralement. »

Rachel me les avait offertes un matin, dans une édition ordinaire, nous n'étions pas encore mariés et je l'avais rappelée deux ou trois semaines plus tard pour lui dire que l'on ne m'avait jamais fait un tel cadeau de toute ma vie, et je l'avais entendue respirer plus vite au bout du fil. Je conduis pourtant normalement mais à chaque virage mes pneus gémissent et nous nous trouvons déportés. J'évoque ces lectures effectuées durant mon séjour à la clinique pour lui parler à mots couverts de ces choses que nous partageons et qui donc nous unissent malgré tout et qui n'appartiennent qu'à nous deux, que Georges n'a pas contaminées. Je me tourne une seconde pour caresser le mollet de Dona puis reporte mes yeux sur la route au moment d'attaquer le virage suivant. Je lui dis que je peux presque entendre l'écho de nos conversations d'il y a vingt ans et elle a un vague sourire tandis que les bois défilent de chaque côté de la route.

Je suis content qu'elle ait choisi de me garder en vie. Je ne lui en veux pas d'avoir eu un éclair d'hésitation. C'était une occasion inespérée pour elle. Une chance d'en finir avec moi. Je l'aurais très bien compris.

« Tu ne sais pas ce que tu dis, soupire-t-elle. Tais-toi. Ne gâche pas tout. »

Nous arrivons. Je me gare devant la maison, sous le ciel bleu. Rachel emmène Dona qui s'est endormie tandis qu'Isa me souhaite la bienvenue et se charge de ma valise après m'avoir détaillé des pieds à la tête en grimaçant. Je lui propose de m'offrir une vraie cigarette afin de clore cette fin d'après-midi — eu égard aux pestilences, en ville, dont on désespère de se débarrasser — sur une note agréable.

« Je me méfie toujours des chiens, dit-elle. J'ai entendu trop d'histoires. J'ai entendu pas mal d'horreurs à ce sujet.
— Ah, ma pauvre Isa, une vraie furie, la solitude l'avait rendue folle. Entre mon bras et ma jambe, j'ai eu vingt-huit points de suture. Vous savez, elle m'aurait dévoré vivant. Sans Rachel, c'était fini. Non, mais cette chienne. Je me suis roulé dans l'herbe avec elle, je lui ai toujours donné une main à lécher, je la connaissais bien. Elle avait sa boîte de croquettes, ici. Vous voyez le résultat. Et encore, ça va beaucoup mieux. Vous m'auriez vu. Elle m'a presque arraché un bifteck du bras, je dois le garder en écharpe, non mais vous imaginez. Sinon tout va bien, tout s'est bien passé, ici, rien de neuf, la routine, quoi. » Comme elle opine, je hoche la tête avec satisfaction.
Je ne me contente pas de fumer cette merveilleuse cigarette à l'ancienne, composée de papier et de tabac véritables. Je la regarde grésiller, rougeoyer, se consumer dans la lumière déjà rasante. J'ai fait courir le bruit que mon séjour à la clinique était dû à l'effroyable attaque dont j'avais été la victime, mais j'y ai surtout soigné ma dépression, je me suis installé devant la fenêtre et j'ai regardé le soleil se coucher, mourir, et puis renaître. Chaque soir. Chaque matin. Je mettais mon réveil à sonner. C'était comme une cérémonie. Ça m'a fait beaucoup de bien. La discipline, c'est ce qu'il y a de mieux pour combattre la dépression.
Chaque soir un frisson d'effroi. Chaque matin la

secousse de nouvelles forces. Assis sur la même chaise. Assis sur la même pierre. Se vider. Se remplir.
Walter m'appelle pour me dire qu'il s'invite ce soir, qu'il est très heureux qu'à mon tour je sois sorti d'entre leurs mains, mais je lui dis : « Non, Walter, pas ce soir. Ta sœur est fatiguée, je crois. Mais demain. Voyons-nous demain. J'ai enregistré quelques trucs sur mon téléphone. Je ne sais pas. J'ai hâte de te les faire écouter. Ça parle de mon séjour en HP. On entend des voix dans le couloir.
— On entend des cris, aussi. Des râles, des lamentations. Rassure-moi. »
Je raccroche. Il fait bon.
C'est une fois que la nuit tombe, que Dona est couchée, qu'Isa est rentrée chez elle, que Rachel somnole en murmurant dans son bain, c'est après toutes ces aventures et après avoir coupé mon téléphone et fermé les yeux un instant que je souffle, que je prends le temps d'apprécier ce moment de silence et de paix qui m'est enfin accordé au premier soir de mon retour au monde. Je me suis installé dans le jardin. Comme le ciel n'est pas tout à fait noir, je vois des oiseaux traverser l'étendue grise au-dessus des arbres, en un long vol, puissant et formidable, et il me semble les sentir glisser à la surface de mes yeux.
Love Song.

Œuvres de Philippe Djian (suite)

Chez d'autres éditeurs

LORSQUE LOU, 1992. *Illustrations de Miles Hyman* (Futuropolis/Gallimard).

BRAM VAN VELDE, *Éditions Flohic*, 1993.

ENTRE NOUS SOIT DIT : CONVERSATIONS AVEC JEAN-LOUIS EZINE, *Presses Pocket*, 1996.

PHILIPPE DJIAN REVISITÉ, *Éditions Flohic*, 2000.

ARDOISE, *Julliard*, 2002.

DOGGY BAG, *Éditions 10-18*, 2007.

LUI, *Éditions de l'Arche*, 2008.

LA FIN DU MONDE, avec Horst Haack, *Éditions Alternatives*, 2010.

Composition IGS-CP.
Achevé d'imprimer
sur Roto-Page
par l'Imprimerie Floch
à Mayenne, le 9 septembre 2013.
Dépôt légal : septembre 2013.
Numéro d'imprimeur : 85423.

ISBN 978-2-07-012215-8 / Imprimé en France.

160563